世界をザワつかせる
最新ネットロア50

AI時代の都市伝説

URBAN LEGENDS IN THE AI ERA

宇佐和通 著

笠間書院

まえがき

都市伝説という言葉は、英語のアーバン・フォークロアあるいはアーバン・レジェンドの訳語として登場した。そもそもの定義は、以下のようなものだった――友だちの友だちという、比較的近い関係にあると思われる人間が体験したという奇妙な出来事に関する起承転結が見事に流れる話。

昔から語られている話も多く、モチーフそのものが100年くらい変わらないものもある。ただし、拡散や流布の方法は口伝からメール、そしてSNSへの書き込みというように変わってきており、その都度拡散の範囲を広げ、スピードを上げてきた。

そして奇妙な噂は、「都市伝説」「アーバン・フォークロア」「アーバン・レジェンド」というこれまで使われてきたボキャブラリーのすべてのニュアンスを含め、さらにネット上でやりとりされるという最大の特徴を盛り込んで「ネットロア」という新しい呼び名を得ることになった。

本書は、奇妙な話の現時点での最終進化形であるネットロアをジャンル別に集め、紹介していくという趣の一冊だ。ウィンドウズ95が普及した1995年を機に、都市伝説とかアーバン・フォークロアと呼ばれていた奇妙な噂の拡散の主な方法が口伝からメール／掲示板へと変化した。筆者は、この変化がネットロア誕生の直接的なきっかけになったと思っている。そういう意味も含め、各項目では意識してアーバン・フォークロア（アーバン・レジェンド）と都市伝説からネットロアへの変化のプロセスについて述べている。

昔からあるアーバン・フォークロアがネットロア化するパターンに対し、そもそもネットロアとして生まれ、拡散していくパターンもある。後者は、いわゆるデジタルネイティブ世代の間で拡散するネットロアの特徴だ。2つのパターンの違いを意識すると、拡散のメカニズムがよりよく理解できる。

かつては人それぞれの想像力に任される部分が多かったのだが、ＡＩ時代を迎えた今、ネットロアは誰が見てもすぐ理解できる画像や映像が媒体になる場合が多い。筆者も80年代さかんに語られていたアーバン・フォークロアのストーリーをプロンプトにして映像生成ソフトにかけてみたところ、かなり完成度の高い映像を作ることができた。

これから先のネットロアの進化をつまびらかにして、正確な言葉で形容することは、筆者にはできない。ただ、映像由来のものがかなり多くなることは間違いない。本書でも触れているが、怖い話を文字情報として集めて紹介するクリーピーパスタも、いずれは映像が主体になるはずだ。

ただ、ネットロアの基盤部分となるプロットは、アーバン・フォークロアとして伝えられていたもののまま生き続けていくのではないだろうか。そういう方向性のスタンダードとなりえる50本の話を、まずは楽しんでいただきたい。

目次

CH5
ダークなロアの章

CH6
ゲームロアの章

CH7

不条理なネットロアの章

CH8

陰謀論系ロアの章

CH 1

最新ネットロアの章

アーバン・フォークロア＝都市伝説という言葉は、
現実と乖離しているのかもしれない。
昔は口伝を主体に広がっていた話がウィンドウズ95の
登場と共にネット経由にシフトし、ＡＩ時代の今は、
流布のプロセスのほとんどがネット経由になっているからだ。
しばらく前から使われているネットロアというワードには、
オールマイティーな響きを感じる。

イギリス版『きさらぎ駅』：ロンドンの地下鉄はタイムマシンなのか

2022年に映画化された『きさらぎ駅』は、現代日本を代表するネットロアと形容するのがふさわしい。2チャンネルのオカルト超常現象板に初めて登場したのは、2004年1月8日の深夜とされている。設置されていた実況形式のスレッドに、はすみ（葉純）という名前の女性の書き込みによって、20年経った後も語り継がれることになるネットロアが一気に転がり始めた。実際の書き込みの文章は、次のような内容だった。

「気のせいかもしれませんが、よろしいですか?」「先ほどから某私鉄に乗車しているのですが、様子がおかしいのです」

はすみは浜松市を南北に走る遠州鉄道の新浜松駅で乗車したが、走り出した電車がなかなか停車しない。夜遅い時間なので、急行や特急など、停車駅を飛ばすタイプの電車とは考えにくかった。

かなり時間が経過してから停車したのがきさらぎ駅という無人駅だった。この後翌日の未明にかけて、はすみとユーザーたちとの間でやりとりが続く。はすみの書き込みによれば、きさらぎ駅の周辺には建物が一切なく、草原が広がっているだけだという。携帯電話で助けを求めても一切対応してもらえず、たまたま通りかかった車に乗せてもらって移動することになるが、その途中で書き込みが途絶え、行方不明になってしまった状態で話が終わる。

存在しない駅から異空間に迷い込んでしまった女性が、そのままいなくなってしまったというストーリーが、不条理なネットロアとして、そして聞き手に結論をゆだねるリドルストーリー的な流れも強く感じられる。そのあたりが刺さったユーザーも少なくなかったはずだ。

実は、２０２１年に流布し始めたロンドンの地下鉄を舞台にしたよく似たストーリーラインの話がある。ただし、こちらの話のテーマは怪異ではなくタイムトラベルだ。

主人公は会社員や学生で、いつものようにいつもの時間の電車に乗り、いつもの駅で降りたが、ちょっと様子がおかしい。まずは、いつも使っている汚いエスカレーターがピカピカに磨き上げられていた。そういえば、そこに至るまでの通路のタイルも新品だった。周囲を見ると、何もかもが新しく思えた。

彼が降りるヴィクトリア駅は路線の中でもかなり乗降客が多いのだが、この日は不気味なほど静かだった。しかし、上りエスカレーターを使っていた彼とすれ違った下りエスカレーターの若い女性が、かなり驚いた表情を浮かべながら彼を見ている。そしてすれ違う瞬間、「変な服！」と、わざと聞こえるように言った。

彼はエスカレーターの真横の長い鏡で自分の服装をチェックした。特におかしなところはない。変なことを言われたな、と思いながら先ほどの女性の姿をよく見ると、80年代に流行した肩パッドがパンパンのジャケットと細みのスカート、やたらにボリュームを強調した髪型をしている。メジャーデビューしたての頃のマドンナそっくりだ。

そして駅の外に出たとたん、建物も車も、すべてが80年代であることに気づいた。自分がタイムスリップしたことを漠然と悟った彼は、とにかくホームに戻らなければと思った。電車に乗って、自宅近くの駅まで帰るのが一番いいだろう。急いで駅舎に戻り、通路をダッシュしてホームに駆け込んだ。ちょうど入ってきた電車に乗り込むと、誰もいない。不安で仕方がなかったが、自宅近くの駅に近づくにつれて乗客が多くなり、いつもの車内風景になっていった。そして電車を降り、近くにある売店に積まれている新聞の日付を確認して、現代に戻ってきたことを確認したという。

イギリスのSNSにも都市伝説的な話を書き込むタイプのサイトが多いのだが、主人公だけ変えて同じプロットとモチーフで進む複数の話が存在することが確認できたので、背景情報を探りながら原話バージョン（さまざまなバリエーションの基となった話）を探していくうちに、興味深い新聞記事を見つけた。２０２1年6月3日付の『デイリー・スター』紙の電子版に掲載されていた『'Time travelling' exorcist claims he went back to 1980 through vortex on Tube』というタイトルの記事だ。仏教徒のエクソシスト（!?）がいつも使っている地下鉄で体験した怪異に関するインタビューという内容だ。いつも使っている駅が出来立ての状態になって、エレベーターですれ違う女性に服装が変だと言われ、外に出て完全にタイムトラベルしたことを感じてホームに戻り、ロンドンに向かっていると乗客が徐々に増え、現代に戻ることができたという。

この記事がたったひとつの絶対的な原話となったと断定はしない。発信が圧倒的に容易になっている今の時代は、派生バージョンの誕生が早くバリエーションも豊富だからだ。ただこの話には、『きさらぎ駅』のアンサーソングのような響きを感じる。国境のないネット空間での情報距離はきわめて短い。奇妙な噂が広がるスピードも、想像できないほど上がっている。

LOAB：
史上初の
ネット由来未確認生物

生成ＡＩという言葉がネット上でさかんに使われ始めた頃、インスタグラムで「この世で最後のセルフィ」というタイトルの画像をしばしば目にするようになった。ちょうど、タイムトラベラーを自称する多くの人たちが「２０３５年のある日」「２０５０年の日常的風景」といったタイトルの動画をアップしていたのと同じタイミングだ。

最後のセルフィというジャンルに関しては、崩壊した高層ビルとかキノコ雲を背景に立つ不気味にデフォルメされた男女の画像という構図が一般的だった。はっきりと示されてはいないものの、第三次世界大戦の核ミサイルの応酬によって破壊され、荒廃した都市の前に立って撮影した最後の１枚というニュアンスが匂わされている。一連の作品の中でも突出した不気味さを醸し出し、多くの人々の脳裏に刻み込まれることになったのが、ＬＯＡＢと呼ばれる女性の画像だ。今は〝ＡＩ画像生成過程に巣食う未確認生物〟というニックネームで呼ばれることも多くなっている。

ＬＯＡＢは、そもそもスウェーデン人クリエイターのステフ・スワンソンによる作品だ。自分のグループを持っていて、音楽やＣＧアートをはじめとするさまざまな分野で作品を発表しており、生成ＡＩを使ったプロジェクトを通して生まれたのがＬＯ

ABというキャラクターだった。

ただ、LOABは決して彼女が意図して作ったものではなく、ネガティブ・プロンプト・ウェイトというAI画像生成テクニックを通して、自発的に生まれたキャラクターだ。このあたりから、ネットロア的なテイストが強く感じられる展開が生まれることになった。ネガティブ・プロンプト・ウェイトというのは、ごく簡単に言えば画像生成のためのプロンプト（指令）内で使う用語をあえてネガティブなもので埋め、結果としてネガティブなイメージの画像が生成される過程だ。この方法を使って「頬が不気味に赤らんで、絶望したような表情の年配の女性」という共通した特徴の4枚の架空の人物の画像が生成された。そのうちの1枚がCDのジャケットのようなデザインで、そこにLOABという文字列が示されており、それがそのままキャラの名前になった。AIを通して生成された画像は異なったモチーフや画調を通して表現されるのが一般的であるため、スワンソンは「同じ女性と判別できる画像が複数生成されることは非常に珍しい」と語っている。

LOABを原画のような感覚でとらえ、これをプロンプトとして使用すると、さらに不気味さが強調された結果が表示されるようになった。この時点でスワンソンは

「ＡＩの世界では、この画像に関する何らかの情報あるいはそういう情報の断片が、極めてグロテスクで不気味な分野に隣接している可能性が示されている」と語っている。ＡＩの世界における極めてグロテスクで不気味な分野とは、何を意味するのだろうか。

スワンソンはＬＯＡＢの画像を他の画像と組み合わせてみた。彼女の顔を取り除くためにいくらプロンプトを変えても、ＬＯＡＢを含む画像が生成され続けた。「ＡＩによって生成された最初の未確認生物」として急速に拡散されたＬＯＡＢは、他のクリエイターや画像生成ＡＩソフトウェア経由でも作られるようになり、最も新しく最も不気味なミームとして知られるようになるまで大した時間はかからなかった。

ＬＯＡＢの誕生プロセスの物語を知る人は多い。そしてミーム化してからもさまざまなサイドストーリーが生まれた。ハロウィーン向けのサイバー怪談的な話として受け止める人も少なくなかったが、スワンソン自身による生成プロセスの説明も公表されたことから、事実を基にしたネットロアの主役として、スレンダーマン（別項目参照）と同じジャンルのキャラとして存在感を高めていくことになった。

特に英米のローティーンの間では、ＬＯＡＢがアトランダムに出現するサイバーゴーストとして認識され、さまざまな噂が流れている。ただ内容は「端末を立ち上げたらいきなりＬＯＡＢの画像がスクリーンいっぱいに広がった」「センダーの名前がＬＯＡＢというメールを開けたら、ＬＯＡＢの画像ばかりが並ぶサイトにつながって、出られなくなった」「ネガティブ・プロンプト・ウェイトを使ったら、どんな画像を作ってもＬＯＡＢがいる」といった単純なものが多い。

その一方で、画像生成ＡＩを日常的に使っている人たちがＬＯＡＢに似た現象を体験しているという話も世界レベルで数多く語られており、これから先もさまざまなＡＩ生成未確認生物が生まれることは想像に難くない。実際に日本でも、「ＡＩに青木ヶ原の絵を描いてもらうと定期的に同一人物と思われる女性が現れる」という投稿がバズり、日本版ＬＯＡＢの出現なのではないかという話になった。こうした未確認生物キャラは、サイバースペースのどこかに隠れていて、出現するチャンスをひそかにうかがっているのかもしれない。

だとすれば、筆者としては響きがかなり嫌いな言い方になるのだが、「ほんとうにあった画像生成ＡＩ都市伝説」といったようなニッチなジャンルの話が生まれ、進化していくのかもしれない。

ザ・ブラインド・メイデン・ドット・コム：ユーザーにひたひたと近づいてくる恐怖

スペインで生まれたネットロアとして知られるこの話のテーマは、〝究極の恐怖〟を提供するサイトだ。このサイトに入るとすぐに、一切の説明が示されないまま、さまざまな画像が立て続けに映し出される。写っているのは、血まみれになって苦痛の表情を見せる少年少女だ。中には、両方の眼球をえぐられている者もいる。

そして次のような文章が示される。「このウェブサイトは、あなたに究極の恐怖を提供するために存在しています。五感すべてを駆使してください。このサイトでは、クリックする前に十分な注意が必要です。体験をする心の準備ができている人だけ、指示されたアイコンをクリックしてください」

アイコンをクリックすると、どこかで見た街並みが映し出される。ユーザーは、はっとする。近所にある道だ。その道を、不気味な形状のものがゆっくりと歩いている。やがてそれは、ユーザーの家の前まで来て立ち止まり、鍵がかかっている玄関のドアをたたき壊す。このとき、スクリーンを見ているユーザーは、遠くから物を壊す大きな音がするのを聞く。画面には、ユーザーの部屋へと続く階段が映る。どん、どん、どんという大きな足音を立てながら、それは近づいてくる。そしてユーザーの部屋の扉が開く。スクリーンを見たままのユーザーは、背後でその音を聞く。スクリーンにはユーザーの後ろ姿が見える。そして、こんな文章が示される。

「振り返るか、そのままスクリーンを見続けるか。5秒で決めてください。勇気を振り絞って振り返り、あなたのすぐ後ろに来ているものの姿を見れば、そのまま立ち去るでしょう。しかしあまりに怖くて振り返ることができなければ、あなたが人生最後の瞬間に見るのは、真っ暗な洞穴のようなブラック・メイデンの両目です。あなたは両眼をくりぬかれ、このサイトの最初に示される写真集の被写体の一人として記録されます」

Decline＝拒否のアイコンをクリックすれば、願い事がひとつ叶えられる。しかしAccept＝許可のアイコンをクリックすると、両目をえぐり取られてしまう。だから最初の説明で、アイコンをクリックするときには十分注意するよう伝えられるのだ。あまりの怖さに誤って許可のボタンを押してしまう人もいるらしい。午前0時にBlindmaiden.comというURLのサイトを決して訪れてはいけない。

欧米では旬なネットロアとして知られていて、YouTubeにも解説ビデオ（https://www.youtube.com/watch?v=p5Mw4DQu9xI）がアップされている。このビデオによれば、ブラインド・メイデン・ドット・コムの話は、〝原産国〟スペインのみならず、隣国ポルトガルやイタリア、あるいはドイツあたりまで広がっているという。複数のサイトをあたってみると、スペインに住む友人が自分の体験をつづった文章の英訳という資料が目立つ。ということは、英語圏ではイギリスを除くヨーロッパ各国ほど認知度は高くないのかもしれない。

このネットロアを知って、昭和の〝学校の怪談系〟の話を思い出した。「人形からの電話」というタイトルの話とストーリーラインがよく似ているのだ。

東京から名古屋（都市に関してはさまざまなバージョンがある）に引っ越した女の子がいた。新しいお家に引っ越すにあたり、ごたごたしていて大切にしていた人形をなくしてしまう。どうやら、他の荷物と一緒に誤ってゴミに出してしまったようだ。

そして新居での生活が始まってからしばらくしたある日、一人で留守番していると、電話が鳴った（この話は家電バージョンとガラケーバージョンがある）。出ると、異常なほど甘ったるい声でこう言うのが聞こえた。「わたし、○○ちゃん。いま、むかしのおうちにいるの」

気持ちが悪いので切ると、1時間くらい後にまた電話がかかってきた。同じ相手だ。今度はこう言った。「わたし、○○ちゃん。いま、とうきょうえきにいるの」

そして1時間半後、もう一度電話が鳴った。出ると、今度はこう言った。「わたし、〇〇ちゃん、いま、なごやえきにいるの」

女の子は、いよいよ怖くなった。誤って捨ててしまった人形が昔の家から自分のところに向かっていることは間違いない。しばらくして、もう一度電話が鳴った。「わたし、〇〇ちゃん。いま、〇〇のえきにいるの」――声が言ったのは、今の家の最寄りの駅だった。5分くらいしてもう一度電話が鳴る。声は「わたし、〇〇ちゃん。いま、おうちのまえにいるの」と告げる。逃げなきゃ、と思った女の子は外に出ようとした。そして玄関まで行ったとき、もう一度電話が鳴る。出てはいけないことは本能でわかったが、受話器を取ってしまった。声はこう言う。「わたし、〇〇ちゃん」――そして次の瞬間、それまでの甘ったるい声とはまったく違う野太い声が響いた。

「いま、あなたのうしろにいるの」

昭和の日本で流布していた話にアレンジが加えられた上でスペインのネットロアとして生まれ変わったとはいわないが、フォークロアには、こうした形の進化がしばしば見られる。学校の怪談めいた話なので、タブレット学習が当たり前の日本に逆輸入され、ブレイクするかもしれない。

キャンドル・コーヴ：子どもたちの洗脳に使われたシュールな人形劇の謎

懐かしのTV番組をテーマにしたフォーラムは日本にも多数あり、ユーザーも多い。そして、参加する人の絶対数が多いだけに奇妙な噂の温床となりやすく、一度奇妙な噂が生まれると、爆発的な勢いで流布する。この項目では、アメリカで放送されていたとある子ども向け番組に関するネットロアについて触れていこうと思う。

アメリカの複数のテレビ番組フォーラムに、1970年代にオンエアされていた『キャンドル・コーヴ』という番組についてのスレッドが立てられている。スレ主たちのコメントのコンセンサスは、ウェストバージニア州のローカル放送だったという記憶だ。どのスレッドにも、「この番組を見たことを覚えている」というユーザーたちからの書き込みが今も続いており、個々のキャラについてなど、具体的な情報も集まっている。

書き込みの内容をまとめると、ジャニスというキャラが海賊の人形と絡みながらストーリーが進んでいく『セサミストリート』のような番組だったらしい。ただ、子ども向けとはとても思えないダークな一面もあった。海賊の一団が、パーシーというキャラに向かって言う「中に入っていただかないと……」という決めゼリフきっかけで、それまでの進行とはまったく違う暗い雰囲気が画面全体に漂い始めるのだ。そして、スキン・テイカーという名前の骸骨が、あろうことか、〝子どもたちの死体から剥ぎ取った皮で作ったマント〟を身に着けている。今の時代なら、もうこの時点でコンプラ案件だろう。喋るときは顎が上下するのではなく、前後にスライドする。これが、子どもたちから皮を剥ぎ取るときにも役立つ動きであるという設定だった。フォーラムは大いに盛り上がった。

「みんな覚えてるかな？　登場人物がただひたすら叫んでる回があっただろ？　あれは強烈なイメージで、しばらく夢にも出てきて夜中に泣き出したのを思い出す」

「叫んでいたのはジャニスとスキン・テイカーだったはずだ。あの回がとても怖かったから、僕も妹も番組を見なくなった」

書き込みをした多くの人たちは、極め付きに不気味なこのエピソードが放送されてからすぐに、番組が突然終了したということで意見が一致している。ところが、こんな書き込みがされたことで話全体の流れが思ってもみなかった方向に進んでいく。

「この間、老人ホームで暮らしてる母親を訪ねたときの話。『キャンドル・コーヴ』を覚えているかきいてみた。そしたら、こう答えたんだ。僕がある日『キャンドル・コーヴ』を見ると言ってテレビの前に座ったらしい。でも、いつまでも番組は始まらない。母によれば、僕は30分間ずっと〝砂の嵐〟を見続けていたらしい。その後は、高熱を出して何日か寝ていたそうだ。自分では全然覚えていないんだけど……」

すべての出発点は、そもそも多くの人々に今も残っている『キャンドル・コーヴ』という番組の記憶が漠然な形でしかないという事実にほかならない。各スレッドでのやりとりはさらに盛り上がり、さらに新しい方向性の話が生まれている。ひとつ紹介するなら、『キャンドル・コーヴ』現象の裏側にあったのは、NASAの秘密プロジェクトだったという仮説だ。キャンドル・コーヴ・プロジェクトによって達成されたのは、放送用電波を使って特定の人口の脳波に働きかけ、脳波を受信するシステムの実用化ロードマップ構築だったという。

2007年5月、NASAはとある番組を媒体として特殊な信号を放送する実験を行った事実を発表した。当該番組のプロデューサーは実験への協力に関して明言を避けたが、番組を放送していた地方局にNASAが直接働きかけていたという記録が残っている。この放送局こそが、ウェストバージニア州のローカル局だったというのだ。

このとき使われたのは、SEBTAW＝Sound Echography Braincasting Transmissing Air Wave Signal（脳投影型伝導性超音波音声放送電波信号）というテクノロジーだった。放送用電波を脳波に変換して脳細胞に直接送り、テレビの映像や音声なしでも特定のイメージを創出させることができるという。

こうした信号はいわゆる〝砂の嵐〟と呼ばれる画面を通じて受け手に送られることが多く、周波数が合った人は、他の人には砂の嵐としか見えないテレビ画面に特定の映像と音声を認識することになる。つまり、砂の嵐の本質は信号なのだ。そして、実験で伝えられた映像と音声は、ちょうどモスキート音と同じように、一定の年齢以下の人たちだけが聞こえたり、映像として認識できたりする脳の領域に働きかけるよう調整されていた。大人の目には砂の嵐としか見えない画面であっても、子どもは映像も音声も認識していたことになる。

インターネットでは、情報も消費財化している。価値ある情報――面白い話――は、広がっていく過程において質を上げながら、浸透しやすく変容していく。『キャンドル・コーヴ』は、かなり昔の話でありながら現代的な広がり方を見せ、根強く生き残っている。ネットロアではあるものの、基本にあるのはトラディショナルな性質の都市伝説であるといえるだろう。

ポリビアス：
知名度が極めて高い
“存在しなかった”アーケードゲーム

80年代初頭は、後に生まれるファミコンからスーパーファミコン、そしてプレイステーションなどに移植される名作アーケードゲームが数多く生まれた。この項目で触れるのは、そうしたゲームのひとつだ。しかし、このゲームが本当に存在したかどうかはわからない。いや、存在しなかった可能性のほうが高い。

ゲームの名前は“Polybius”（ポリビアス）。古代ギリシャの歴史家ポリュビオスの名をとったものだ。リリースは1981年だったといわれている。今でもこのゲームに特化した複数のSNSがあるくらいの知名度で、これまで多くの人たちが行ってきた調査では、オレゴン州ポートランドのゲームセンターで見たと語る人が多い。それと同時に、稼働期間がわずか数週間だったということも指摘されている。

大都市圏のゲーセン運営に関わる人たちの間で、奇妙な噂が広まったことがある。全身黒ずくめの男たちが定期的にやってきて、このゲーム機の基盤を調べたり、データを記録したりしているような姿がたびたび目撃されたというのだ。全身黒ずくめの男たちというモチーフは、当時さかんに噂されていたMIB＝メン・イン・ブラックにも通じるものがあった。こうした背景から、ゲーム機を媒体とした政府のブラックプロジェクトという話が生まれる。時を同じくして、ポリビアスをプレイした子どもたちが頭痛や吐き気、はては記憶喪失のような症状を呈するという噂も出始めた。

こうした具体的な症状をフックにして、ポリビアスの本質はMKウルトラ計画の発展形に違いないという方向に話が進んでいく。MKウルトラ計画というのは、各種の薬物を用いた人体実験も行われた洗脳プログラム開発プロジェクトだった。このあたりに、ポリビアスがどのような内容のゲームであったかを探っていくヒントが隠されているのかもしれない。戦車を操縦したり、兵士となって銃を撃ったりといった具体的なアクションではなく、もっと人間の基本的な部分――反射神経とか音や光に対する反応の速さとか――を判定するシステムを核にしたゲームだったのではないだろうか。

2006年、『コインオブ・フォーラムズ』というゲーム愛好者のページに、スティーブン・ローチという人物がポリビアスに関するコメントを書き込んだ。この人物は、南米の企業に依頼されてゲームを開発したという。完成したゲームは、ごく限られたマーケットを対象にして稼働テストを実施した。そして、ゲームをプレイした中から体調を崩す人が続出した。この〝ごく限られたマーケット〟というのがポートランドと考えれば、ポリビアス伝説は俄然リアリティを帯びてくる。

ポリビアスに関する集約的な検証を行っているゲーム史研究家、キャット・デスピラによれば、このスティーブン・ローチという人物は行動修正プログラムの専門家だ。ローチはメキシコにある会社のオーナー兼会長で、その会社がアメリカの軍産複合体に名を連ねる契約企業複数と業務提携関係にあったという。ローチの会社は問題行動の多い子どもたちに特化したキャンプをアメリカおよびメキシコ各地で開催していたようだ。

こうしたキャンプを通してノウハウを蓄積し、行動修正プログラムに改良を加え、それを効果的に表現する方法がポリビアスだったというのだ。ローチは自ら開発した行動修正プログラムをそのままポリビアスに組み込み、期間限定の形でデータを集め、目的が達成されたところで端末をすべて回収した。そんなシナリオが半ば既成事実化しかけたこともあった。

一般人がまったく気づかない形でマインドコントロールや洗脳、そして行動修正はすでに実用化されているという陰謀論めいた見方もあった。目に見えない謎を解くカギがポリビアスかもしれない。そんな話で多くの人々が盛り上がる時期もあった。

ここで、ごく私的な体験に触れておきたい。筆者は、1982年の春にオレゴン州の州都セーラムにあるウィラメット大学に留学していた。ポートランドから車で1時間弱の距離だ。キャンパスの中央にある学生センターの地下にブックストアがあって、その隣にゲーセンがあり、ビリヤード台と一緒にパックマンやセンティピードをはじめとする〝ザ・80年代的〟なアーケードゲームがたくさん置かれていた。ここでよく顔を合わせたいかにもゲームオタクっぽい学生から、ポリビアスについて聞いた記憶がある。

彼の言葉によれば、ポリビアスはコントロールバーとボタンがひとつあるだけのシンプルな作りのゲームで、映像と音をシンクロさせるタイプの、今で言う音ゲー的な外観だったらしい。全面に配置されたスピーカーから流れる音が立体的に聞こえ、プレイ画面の色使いがとても斬新だったという。彼は「サイケデリックなゲーム」と表現していた。音と光、鮮やかな色彩で精神に働きかける種類のゲームだったのかもしれない。

SNSをチェックすると、〝存在しなかった〟ポリビアスに対して同じ思いを共有する筆者と同年代のアメリカ人が少なくないことを実感できる。それと同時に、デジタルネイティブ世代にとっては知らないからこそ新しい話なのだ。

CH 2

ベビーシッター・ロアの章

古き良き時代のアーバン・フォークロアの
超定番モチーフとして、ベビーシッターが遭遇する
恐怖譚が挙げられる。奇妙な噂が語られる
プラットフォームがほぼ完全にネットに移行した今も、
アメリカならではの定番モチーフである
ベビーシッターを主人公にした一連の話が
ネットロアとしてさらに進化を続けている。

ピエロの人形：等身大の人形の正体とは

ここで紹介する話は、アーバン・フォークロアがネット経由でやりとりされるようになってからしばらく経った時点で拡散したため、純粋な意味でネットロアと呼ぶことができると思う。最初からネットロアとして生まれたという意味だ。ベビーシッターを主役にして、80年代のアーバン・フォークロアのテイストがそのまま活かされた話がネットロアとして拡散したプロセスは、新鮮な驚きだった。

友だちの友だち（10代の女の子が主人公になる場合がほとんど）が、カリフォルニア州ニューポートビーチに住む家族のところでベビーシッターをしたときの話。とても裕福な家族で、いくつも部屋がある家だった。

雇い主の夫妻はディナーに出かけて行った。お父さんはベビーシッターに、「子どもたちが寝たら、僕の書斎でテレビを見ていていいよ」と言った。

二人が出かけて、子どもたちに夕食を食べさせ、寝かしつけてから、言われたとおりにお父さんの書斎でテレビを見ることにした。映画を見ていたのだが、部屋の隅に飾られている大きなピエロの人形がどうしても気になる。何とか無視しようとしたが、我慢できなくなってリビングルームに戻ってしまった。そこで彼女は電話をかけて、他の部屋でテレビを見てもいいか尋ねることにした。

彼女の話を聞いたお父さんは、こう言った。「いいか、落ち着いて聞いて。すぐに子どもたちを起こして、隣の家に行きなさい。僕が電話をかけておくから、すぐに助けてくれるはずだ。そして、隣の家に入ったらすぐに警察に電話しなさい。さあ、すぐに行動して」

お父さんの声は緊張していた。ベビーシッターは言われた通り子どもたちを起こして準備をした後、隣の家に行った。そしてすぐに警察に電話をした。

隣の家の玄関ホールの窓から見ていると、パトカーが数台到着して、多くの警官が中に入って行った。しばらくして、ピエロの服装をした男が手錠をかけられて出てきた。

家に帰ってきたお父さんから話を聞くと、そもそも書斎にピエロの人形など飾っていなかったという。そして予約していたレストランに行く車の中で、州立医療刑務所からシリアルキラーが脱走し、どこかの店でピエロの衣装を盗み出して逃走中であるというニュースを聞いた。ベビーシッターから電話が入ったとき、この犯人が間違いなく家に忍び込んだということを悟ったようだ。

アメリカのアーバン・フォークロアでは、ベビーシッターが怖い目に遭うというストーリーは多くあるのだが、この話はそういうジャンルの中でもトップクラスの知名度と言えるはずだ。そしてこれだけの知名度がある話になると、派生バージョンが生まれないわけがない。ベビーシッターがお父さんたちに電話をかけて、すぐに隣の家に逃げるように言われ、ピエロの姿をした男が逮捕されるまでのくだりはまったく同じだが、今日的な展開として、チェーンメールの要素が加えられた。まったく同じ話が語られた後、こんな文章が綴られている。

実は、このピエロ男は逮捕された後に警官を殺害して、逃げのびている（あるいは、同じ医療刑務所に戻された後再び脱獄している）。どんな媒体でもいいので、SNS上でこの話を10回以上書き込まないと、次の犠牲者となるのはこれを読んでいるあなたです。

医療刑務所を脱走したサイコ野郎のほうが、幽霊よりもリアルな恐怖を感じる。しかし、そういう感覚はある程度以上の年齢の人々に限られるのではないだろうか。この文章は、話の拡散を目論んだ大人が、子どもたち——おそらくは中学生くらいまでの年齢層——を狙って仕込んだものではないか。犯人が大人であると断言はしないが、最後の部分を盛り込むことで話が拡散しやすくなる可能性は容易に考えられる。

紹介しておきたい事件がある。1992年、インディアナ州のノーブルヒルズという町で、誰もが知っているあのハンバーガーチェーンのマスコットそっくりのコスチュームに身を包んだ男が6歳の女の子に馬乗りになって襲うという事件が起きた。ピエロの陽気さに隠された狂気のようなものが端的に表れた光景を目の当たりにした人たちに刷り込まれただろうイメージの強烈さは、想像に難くない。

この事件が原話であるとは言わない。そうであるには違いないのだが、話の背景に垣間見える重要なピースとして機能したような気がしてならないのだ。また、2023年9月あたりから、チェーンメール的な要素を盛り込んだ最新バージョンの出現が確認されている。こうした傾向は、もちろんこれから先も続き、次々と新しい派生バージョンが語られることになるだろう。それにしても、アメリカ人はベビーシッターがらみのフォークロアが大好きなようだ。

ヒッピー・ベビーシッター：ベビーシッター・ロアの大定番

前の項目で、ベビーシッター・ロアには幽霊をはじめとする超常現象ではなく〝よりリアルな恐怖〟をモチーフにした話が多いと書いた。この「ヒッピー・ベビーシッター」という話はまさに王道系のベビーシッター・ロアだ。アーバン・フォークロアがまだ口伝で拡散していた頃の時代にさかんに語られていたのは、次のような話だ。

生まれたばかりの赤ちゃんを育てているとある夫妻が、コンサートに行くため、ベビーシッターを雇うことにした。派遣サービスに頼んで家に来てもらったベビーシッターは、20代半ばの女性だった。彼女の姿を見たとたん、二人はちょっと心配になった。いかにもヒッピーという服装だったのだ。可能ならば断わりたかったが、代わりの人に来てもらう時間的余裕はなかった。

おむつや粉ミルクを準備し、家の中のことを細かく説明し、何度も繰り返して確認してもらった。そして、コンサートが始まるぎりぎりのタイミングで家を出た夫妻は、途中のガソリンスタンドに立ち寄って1回、そして会場に着いてから1回、公衆電話から確認を入れた（まだ携帯電話やスマホがなかった時代のアーバン・フォークロアだったため、今の時代では考えられれない要素だが、こういう細かい設定がちりばめられていた)。

やがてコンサートが終わり、夫が家に電話をかけた。ベビーシッターはきちんと仕事をしてくれているようだ。ほっとして電話を切ろうとすると、妙なことを言い出した。「あのー、七面鳥を見つけたので、スタッフィングを詰めてオーブンで焼いてます」――このひと言に、嫌な予感がした。胸騒ぎを押さえつつ、二人は車を飛ばして家に向かった。家に七面鳥などなかったからだ。

家に帰ると、ベビーシッターが明らかにハイな状態でキッチンの床に寝そべりながら「あれは木星、あれが金星……。天井が太陽系じゃん」などとわけのわからないことを呟いている。LSDかコカインをやっているに違いない。

真っ先に子供部屋に向かった妻がキッチンに戻って来て、半狂乱の状態で「赤ちゃんがいない!」と叫ぶ。まさか、と思った夫がオーブンを覗き込んでみると、スタッフィングされてこんがり焼けたわが子の姿があった。

この話が一番語られていたのは80年代半ばだったと記憶しているが、原話バージョン的な話は60年代初頭から存在していたようだ。ヒッピー・カルチャーが生まれた時代から語られていたのだろう。当時は、マクラとして「この話、ラジオで聞いたんだけど」という言葉がよく使われていたようだ。

この話が生まれた時代の背景としてよく挙げられるのが、核家族化が始まった地域社会と60年代のドラッグ・カルチャーだ。見ず知らずの人間を家に入れ、少しの間であっても子供を預けると、こんな恐ろしいことが起こるかもしれない。そういう戒めが込められた話であるという指摘が行われてきた。しかし最近は、話のニュアンスが少し変わったバージョンが拡散しているようだ。次に紹介するバージョンにドラッグは出てこない。ただ、より今日的な要素が盛り込まれる形の進化が見て取れる。

とある16歳の女の子が、バイトでベビーシッターをした。雇い主の夫妻が出かけて、小さな子どもと二人きりになると、子どもがもの凄い勢いで泣き始めた。何をしても泣き止まない。長い間あやしたり、なだめたりしたが、勢いは増すばかりになった。女の子はキレて、子どもの洋服を全部脱がせ、水をかけてオーブンに押し込み、スイッチをオンにしてそのまま家を出た。当然のことながら子どもは死んでしまい、ベビーシッターは指名手配されて逮捕された。

この話、ストーリー展開にちょっと無理がある感が否めない。こういう場合、ネットロアはアーバン・フォークロアと同じように自己修正をした上でさらなる進化を見せる。それで生まれたのが、次のような話だ。

とある16歳の女の子が、バイトでベビーシッターをした。雇い主の夫妻が出かけて、小さな子どもと二人きりになると、ちょっと目を離した隙に子どもが冷蔵庫からジュースの瓶を出し、中身を頭からかぶってしまった。すぐにバスルームに行って洗ったが、寒そうにしている。かわいそうだったので早く乾かそうと思い、キッチンに行って裸のままレンジに入れてスイッチを入れ、自分はバスルームを片付けに行ってしまった。再びキッチンに戻ってくると、子どもはこんがりと焼けていた。

まったく別の有名なアーバン・フォークロアのストーリーラインをそのままなぞった特徴とそのままなぞった展開を面白がる人が多かったようだ。

ロッキングチェアのおばあさん：幽霊は意外な形で姿を現す

これまで何回か述べているが、アーバン・フォークロアという言葉で分類されるジャンルの話では、超自然現象がモチーフになることは珍しいと思う。刑務所から脱走した連続殺人犯とか、斧を持ってバックシートに潜んでいるサイコパスとか、より現実に感じられる存在が登場する話のほうが圧倒的に多い。ここで紹介するのは、超常現象をコアに据えた珍しいタイプのベビーシッター・ロアだ。超定番、きわめて珍しい要素の組み合わせということになる。

アメリカ西部の小さな町に住んでいる女子高生が、かなりのヘビーローテーションでベビーシッターのバイトをこなしていた。ベビーシッターとユーザーをつなげるアプリを複数使って、空いている時間はほとんどバイトに費やし、車の免許も取って少し離れた町の家まで行くようになった。

ある日、彼女は初めての依頼主の家に向かって車を走らせていた。女の子が二人、男の子が一人の三人兄妹を夕方から夜の10時くらいまで見ていてほしいというリクエストだった。結婚記念日で、ディナーデートをするのだという。

他の家でもしている通り、家の中を見せてもらう。リビングとダイニング、男の子用の部屋、二人の女の子たちの部屋、子供たちのプレイルーム、そして夫妻の寝室と書斎という間取りだ。難しいセキュリティシステムもなく、問題ないだろう。彼女は夫妻を送り出し、子どもたちとボードゲームを始めた。

夕食はピザを頼んで済ませ、テレビを見ていると、子どもたちがプレイルームで遊びたいと言い出したのでプレイルームに行くと、部屋の中央に置かれているロッキングチェアにおばあさんが座っている。最初に見せてもらったときもロッキングチェアはあったが、おばあさんはいなかった。なぜ紹介してくれなかったのだろうと思いながらも、特に怪しむことはしなかった。そういえば、母屋のすぐそばに離れのような感じの建物があった。おばあさんは普段そこに住んでいて、用があるときだけ母屋に来るのかもしれない。

「こんばんは」と言うと、おばあさんは振り返り、にっこり笑った。眠そうなので、子どもたちに「やっぱりあっちの部屋で遊ぼう」と言ってリビングに戻ってきた。おばあさんが寂しいといけないので、ドアは開けっ放しにしておいた。トイレに行ったり、友達に電話をかけたりするためにプレイルームの前の廊下を通ったが、見るたびにゆっくりとロッキングチェアで揺れていた。

9時過ぎに子どもたちをそれぞれの部屋で寝かしつけ、リビングに戻ろうとプレイルームの前を通ったら、おばあさんの姿が見えなくなっていた。ロッキングチェアだけが揺れている。おそらく少し前に離れに戻ったのだろう。

夫妻は、10時少し前に帰ってきた。特に問題なかったことを報告し、バイト代を貰って帰る前に、彼女は夫妻に向かってこう言った。「おばあちゃんにもお会いしました。眠そうだったので、お話はできませんでしたけど……」

夫妻は怪訝そうな表情を見せた。「うちには、おばあちゃんはもういないんだ」と言ったお父さんはスマホを取り出し、写真を見せた。さっきのおばあちゃんが、さっきのロッキングチェアにすわって微笑んでいる。

「僕の母だ。好きに使えるように離れも併せ、この家を建てたんだけど、すぐに亡くなってしまったんだ……」

この話には、他のネットロアと同じくいくつかのバージョンがある。ただ、異なるのは舞台となる町の設定くらいで、スマホなりアルバムなりでお父さんが亡くなった母の写真を見せ、最後のひとことを言ったところで終わる。

ロッキングチェアとおばあさんというのは、典型的なアメリカン・ゴシック・ホラーの一場面を思い起こさせる組み合わせだ。ただ、全体のトーンに感じるのはゴーストストーリーというよりも、ちょっとほっこりする霊現象といったニュアンスだ。

この項目の冒頭で書いたとおり、超常現象だけをクローズアップする形で語られるパターンはほとんどない。ただ、アーバン・フォークロアで最も多く登場するキャラクターのひとつであるベビーシッターを主人公に流れるストーリーということで、受け手にとっては身近で、かつ起こり得る話として響くのかもしれない。

ベビーシッターが主役のネットロアの中では最新であるこの話の核心部分が、心霊現象であることは興味深い。アメリカでポピュラーなバイトに小道具として今日的な要素がちりばめられ、親和性がさらに高まっている。

アーバン・フォークロアとしてのさまざまな要素が見えるので、これまで原話バージョンの特定を試みようと思ったことはない。起承転結が見事に流れる構造にも、口伝で拡散していた頃のアーバン・フォークロアという趣を強く感じる。時間が経ったら、ZOOMなどパンデミック以降の特徴的なモチーフを盛り込んだ進化が見られ、派生バージョンが生まれるのではないだろうか。そんな雰囲気を感じている。

家の中にいるんです：サイコパスはすぐ隣に

世界中でストーキング犯罪が年々増加傾向にあり、内容も凶悪化している。ただ、これは見方に問題があるのかもしれない。事例が増加しているのではなく、これまでの時代は、報告されたり通報されたりするケースが少なすぎたのではないだろうか。ここで紹介するのは、ベビーシッターが体験する〝すぐそこにある、見えない危険〟をモチーフにしたものだ。

ベビーシッターのバイトをしている女子高生がいた。子どもたちを寝かしつけた後、リビングルームでテレビを見ていると、無言電話がかかってきた。最初は間違いかと思ったが、しつこくかかってくる。いたずら電話であることがわかったので、何回目からは黙ったまま相手が何か言うのを待つことにした。「お前の動きはすべて見える。子どもたちは大丈夫か？　一回見に行ったほうがいいんじゃないか？」――響いてきたのは男の声だった。

相手は彼女の様子がよく見える場所にいるらしい。恐ろしくなってすぐに電話を切り、そのまま警察に通報して事情を説明すると、次にかかってきたら逆探知をするからできるだけ話を延ばしてほしいと言われた。

動きを見られてはまずいと思った彼女は、ものすごく怖かったが、リビングルームのライトを消して真っ暗にして、カーテンも閉めた。

やがて、また電話が鳴る。受話器を取ったが、自分で言葉は発さない。相手が何か言ったらそれを受けて、警察に言われたとおりに話を延ばそうと思った。

やがて相手が話をし始める。怖くて仕方がなかったが、なんとか我慢して引き延ばした。もういいだろうというところで電話を切って受話器を置くと、再び電話が鳴った。警官が慌てた様子で何か言っている。

「よく聞いてください。電話は家の中からかかってきています。おそらく別回線でしょう。すぐに逃げてください。警官がまもなく到着する予定です」

80年代に拡散していたバージョンだ。95年を境に——おそらくはウィンドウズ95の普及と共にEメールのやりとりが爆発的に増加したため——一気に広く知られることになった。その後携帯電話が一般的になると、次のようなバージョンが語られる。

とあるマンションで一人暮らしの女性が、無言電話に悩まされていた。毎日

のようにかかってきて、出ては切るという状態が続いていたが、ある日とうとう相手が声を出した。「ずっと見てるよ。僕が守ってあげるから心配しないで…」怖くなって警察に通報し、逆探知してもらうことにした。いつも非通知設定でかかってきていたのだが、2週間ほどして発信元番号の特定に成功した。

ある夜再び電話がかかってきたとき、近くで警戒に当たっていた警官が彼女の部屋に踏み込んで、クローゼットの扉を開いた。するとそこには、携帯電話をしっかりと握りながら、声を押し殺して話している男がいた。

逮捕して調べて見ると、この男は同じマンションの住人だった。ダクトをつたってあちこちの部屋を覗いているうちに彼女を気に入ったという。彼女が出かけている間に部屋に忍び込み、電話をかけながら姿を見ていた。

日本国内で実際に起きた事件ときわめて似ているのだが、このアーバン・フォークロアの拡散のほうが先だった。ただ、まったく同じ展開の話だったため、一時は〝ほんとうに起きた都市伝説〟という形容がさかんに使われたことを覚えている。

そして、同じストーリーラインの話がネットロア化したのが次に紹介するバージョンだ。それは、最初に紹介したストーリーの続編という形で展開していく。

女子高生がいる家に何台ものパトカーがやってきて、警官隊が玄関のドアを蹴破って中に入り、彼女を助けた。婦人警官に体を支えられながら外に出たときにちらっと後ろを振り返ると、血まみれになった毛布にくるまれた子どもたちが次々と運び出されていた。

玄関の前に停まっているパトカーから男性警官が降りてきて後部座席のドアを開け、乗るように促された。そのまま後ろの席に座ると、運転席に警官が乗る。もう安心だ。そして警官がこう尋ねてきた。「子どもたちは大丈夫か?」

彼女は外に逃げ出ようとしたが、ドアはロックされていて開かなかった…。

1996年公開の『スクリーム』というハリウッド映画に、この話と全く同じ状況でベビーシッターに執拗に電話がかかってくるというシーンが出てくる。アーバン・フォークロアありきの演出なのだが、この映画の公開直後にもよく似た話が拡散したのを覚えている。

来なかったベビーシッター：本当にあった？悲劇的な事故

ユタ大学名誉教授で現代アーバン・フォークロア研究の第一人者として知られているジャン・ハロルド・ブルンヴァン氏の著書に『Encyclopedia of Urban Legends（都市伝説百科事典）』という本がある。この本によれば、ここで紹介する話が最初に大きな拡散を迎えたのは1970年代のノルウェーとスウェーデンだった。

ノルウェーの大都市に住む夫妻が、暖かい国でバケーションを過ごすことにした。共働きで長い休みも取ったことがなかったので、思い切って少し長い間休暇を取ろうということになった。二人には1歳になる息子がいて、いつも子守をしてくれる知り合いの女性がいた。この女性に頼んでおけば何の心配もないはずだ。

そして出発の日。空港に向かうタクシーが迎えに来ても、ベビーシッターが姿を見せない。電話をかけると、まだ家にいた。支度に手間取っているらしい。

「すぐに行くので、もう出かけてください。鍵はいつものところに置いておいてください」

飛行機に乗り遅れてはバケーションどころではない。夫妻は赤ちゃんをキッチンテーブルのところでベビーチェアーに座らせ、落ちないようしっかりとベルトで固定した。戸締りして、鍵をいつもの場所に隠し、空港に向かった。

ところがその後、信じられないことが起きた。ベビーシッターが途中で交通事故に遭い、死んでしまったのだ。現場に駆け付けた警官も、彼女が何のためにどこに向かっているかなど知るわけがない。結局赤ちゃんは、夫妻が出かけたときの状態のまま放置されることになってしまった。

夫妻が帰ってきたのは2週間後だった。タクシーを降りて郵便受けを見ると、なぜか手紙や新聞であふれている。不審に思って隠してある鍵を確かめると、出かけるときに置いたままの場所にあった。しかも、埃をかぶっている。

急いで家の中に入ると、何とも言えない腐臭が漂っていた。キッチンまで走ると、息子が背を向けたままベビーチェアーに座っていた。抱き上げようとして駆け寄った瞬間、無数のハエが飛び立った。座ったままの状態で餓死していて、体にびっしりとハエがたかっていたのだ。

口伝が媒体の主体だった時代のアーバン・フォークロアは起承転結がしっかりして

いる。文字化してみるとよくわかる。この話も例外ではない。ただ、通信手段が発達している今の時代において、このままではネットロアとしては成立しにくいだろう。それゆえ、昔の都市伝説を映像化して紹介するというやり方が増えていて、YouTubeやVimeoなど映像主体のサービスで取り上げられ、語り継がれていく話もある。「来なかったベビーシッター」はインパクトが強めの話なので、そういう方向性で生き残っているようだ。

紹介した話はそもそもノルウェー南西部のベルゲンという都市の地元新聞で記事になったものだ。ただ、徹底的な調査を行っても、これが実際に起きた事件だったことは証明できなかった。つまり、本当によくできた話がアーバン・フォークロアとして拡散していたということになる。よくできた話は、海を渡って増殖していく。

確かアメリカのSNSかブログだったはずだ。

生まれて間もない赤ちゃんと二人でアパートに暮らしているシングルマザーがいた。ある日すぐ近くにあるコンビニに行こうとしたが、子どもは外部からの音が届きにくい部屋に置いたベビーベッドでよく寝ている。コンビニはすぐ

近くだし、無理に起こすことはないと思って、一人で行くことにした。

ところが、アパートを出てすぐの大きな通りを歩いていたとき、猛スピードで走ってきた車にはねられて即死してしまった。運転手はドラッグをやっていたらしい。轢かれた母親の所持品は、マネークリップで束ねた現金だけだった。名前も住所もわからないまま、彼女は身元不明者として警察署で保管されることになった。

数週間後、大家が部屋に来た。ドアをいくらノックしても返事がない。同じフロアの住人に話を聞いてみると、しばらく親子の姿を見ていないという。家賃を踏み倒されたと思い込んだ大家は、マスターキーを使って部屋に入った。

内部は、ほんの少し前まで誰かがいたような雰囲気だった。奥の部屋に子供が寝ている。しかし、寝姿がおかしい。近づくと、息をしていない。驚いて抱き上げると、体中にたかっていた無数のゴキブリがバラバラと音を立てて落ちた。赤ちゃんは、餓死していたのだ。

別の国で拡散していく過程で、どの部分が変化したのかがよくわかる。

CH 3

メディカル（医学系）ロアの章

体に関する奇妙な話も、かなり昔から
アーバン・フォークロアのひとつの分野として確立している。
そして、AI時代に入ってからも
ベースとなるストーリーラインは変わることなく
時代にアジャストして「受け入れやすい話」に変化している。
コロナウイルスのパンデミックを経た今、
そのトレンドはさらに際立っている。

エイズの世界へようこそ：ワンナイト・スタンドは絶対NG

最近の傾向として、かつては文字情報として伝えられていたアーバン・フォークロアを映像化してYouTubeやVimeo、あるいはTwitchといった動画系プラットフォームで紹介する発信者が多いように感じる。

こうしたタイプのネットロアの代表格として紹介したいのが、「エイズの世界へようこそ」という話だ。日本では「ルージュの伝言」という名前が付けられた。

オハイオ州に住んでいるカーディーラーが、本社研修でニューヨークに出張に行ったときのこと。すべての予定を終えてホテルに帰る前に、バーで軽く飲むことにした。しばらく経つと、きれいな女性が隣に座ってきた。どちらからともなく話しかけると、彼女も仕事でニューヨークに来ているという。おたがい出張ということで打ち解け、どんどん時間が経っていった。

真夜中近くになった頃、女性は自分のホテルの部屋に来ないかと持ちかけてきた。次の日は予定がないし、自分の部屋に戻っても一人で寝るだけだ。男性は誘いに乗って彼女の部屋に行き、一夜を共にした。

翌朝目覚めると、もう彼女はいなかった。どうしたのだろうと思って起き上がると、テーブルの上にコーヒーが入ったポットが置いてある。「これを飲んだらシャワーを浴びて」というメッセージも添えてあった。

コーヒーを1杯飲んでバスルームに行くと、鏡に赤い文字が書き込まれていた。眼鏡を取りにベッドまで戻り、赤い文字列を読み直した彼の表情はみるみる恐怖に歪んだ。

「エイズの世界へようこそ」

まずはアメリカで「エイズ・メアリー」という名前で拡散していたオリジナルバージョンを紹介した。一周回って知らないアーバン・フォークロアといったニュアンスで、いまだに多くのＳＮＳで語られている。この話が口伝で拡散していた時代のリアルタイム体験がない世代の人々にも、まったく新しいプラットフォームを媒体にして広がったことがうかがわれる。

コール＆レスポンスのような形で派生バージョンや対抗神話的なアーバン・フォークロアが生まれることがある。「エイズ・メアリー」にも、「エイズ・ハリー」という名前の対抗神話ロアが生まれた。

ロサンゼルスの広告代理店で働くキャリアウーマンがいた。あまりに忙しく、結婚や恋愛のための時間がない。そこで、クリスマス休暇をバルバドスで過ごすことにした。完全にリラックスしたかったので、あえて一人旅を選んだ。

現地に着いてすぐ、地元の若い男性と親しくなり、友達以上の関係になって、結局休暇の間ずっと一緒に過ごした。楽しい時間はあっという間に過ぎ、アメリカに帰る日が来た。彼は空港まで送ってくれて、別れ際に「これ、特別のプレゼントだよ。シートベルトを締めたら開けて」と言いながら箱を渡した。

彼女は言われた通りにした。箱を開けると、真っ黒なマグカップが入っている。よく見ると頭蓋骨が描かれていた。縁起が悪いな、と思いながらもう一度箱の中を見ると、小さなメモがある。メモには、こんな文章が書かれていた。

「これから君は、ひとりぼっちで過ごす夜が多くなる。このマグを使って。エイズの世界へようこそ」

派生バージョンとして、被害者となった男女が痩せ細った姿で街をさまよい、自分をひどい目に遭わせたメアリーやハリーを探し求めるというストーリーもある。

ネットロアの拡散パターンとして、ポッドキャストという要素を挙げておきたい。話を紹介して終わりというチャンネルもあるが、オリジナルの時代背景から派生バージョンが持つ意味、その後の進化など、全体を俯瞰しながら1時間以上語る番組もある。こうした番組が、リアルタイムの拡散期を知っている世代の人々と、一周回って知らない世代の人々を結び付けるアリーナの役割を果たしていることは興味深い。

この話は、そもそも見ず知らずの相手とセックスすることの危険性が盛り込まれた、教訓的要素を強く感じるアーバン・フォークロアだった。現代のSNSへの書き込みを見ていると、時代を超えてセーフセックスの重要性を訴える寓話的なネットロアとして受け容れられ、ダークなストーリーラインの裏側にポジティブなニュアンスを感じる人が多くなっているように感じる。

フォークロアは時代を映す鏡のようなものだといわれる。これは納得できる意見だと思う。ネットロアは、人々の意識の変容を如実に表すものであるし、それに応じてさまざまな派生バージョンが拡散していき、モチーフとなる話はいつの時代でも生き残るからだ。

コロナパーティー：今になって初めてわかる話

本書執筆時点の2024年1月半ば、コロナウイルスの感染第10波到来についてのニュースが報道され始めている。国内初の感染例が確認されたのは2020年1月15日だったので、ちょうど4年目で10波に達したことになる。コロナウイルスに関する奇妙な噂も、さまざまに変容しながら進化を続けてきた。第1波の半ばあたりから爆発的に拡散したチェーンメールがある。

ウイルスは熱に弱く、26～27度（37度、56度説もあり）**で死滅するので、お湯をたくさん飲みましょう。冷たい飲み物は厳禁。生姜、ニンニク、唐辛子、胡椒をたくさん食べるとよい。ウイルスは太陽にさらされると死にます。**

やがてこの文章は、2020年1月にWeibo（中国発祥のSNS）で拡散していたものが訳されていたことが明らかになる。つまり、オリジナルバージョンは中国発のチェーンメールだ。ただ、その後も医師によるアドバイスが盛り込まれたバージョンや、潜伏期間が27日間であると明言するバージョンが後を追うように拡散した

感染第1波の頃は情報が少なく、日本のワイドショーでも「風邪と同じなのだか

ら、自然抗体を作る意味でもあえてかかるのもあり」と語るコメンテーターもいた。こうした事情はアメリカでも同じだった、2020年3月、アメリカでは若年層が新型ウイルスの流行を完全に無視する行動に出た。ちょうど春休みで、パーティーで騒ぎたいという熱気が感染への恐怖に勝ってしまう状況が顕著化していた。しかし世界レベルでの感染者数がかなり増えた2020年6月、次のようなチェーンメールが拡散した。

アラバマ州タスカルーサ消防当局でスポークスマンを務めるランディ・スミスによれば、アラバマ大学の学生が何回もパーティーを開き、訪れる人たちを感染させようと試みた。パーティーは6月初旬から繰り返し行われていたという。遊び感覚のイベントという感覚で、最初の感染者に賞金が支払われた。

実在する組織と人物の固有名詞に言及し、パーティー主催者グループを突き止め、実名まで把握したというニュアンスで語られた話だったが、まったくの嘘だった。主催者が在籍していたとされているアラバマ大学当局が徹底的な調査を行ったが、話の内容が真実であることは確認できなかったし、当然のことながら主催者グループや個人を特定することはできなかった。その後、パーティーが個人レベルで行われている状況を思わせる次のようなチェーンメールが後を追った。

7月12日：テキサス州サン・アントニオ

30歳の男性が、ウイルスの話が真実であるかどうか試すため、人々が新型コロナウイルス検査で陽性反応を示した人と集まる「コロナウイルスパーティー」に参加した。男性は感染して病院で死亡するまで、これはでっちあげだと信じていた。

この話に関しても、主役がサン・アントニオに住む男性ということだけで他の情報が一切なく、真実と認定することはできなかった。

こうした数々のチェーンメールを受けて、ということなのだろうか。２０２０年８月あたりから、「ＣＯＶＩＤ 19パーティー」という名前のネットロアが拡散し始めた。この話、構造がちょっと複雑だ。ひとつ目のパターンは、ウイルスである以上は一度感染すれば自然抗体ができると信じる人たちがあえて大人数で集り、ノーマスク・ノーディスタンスの状況で、パンデミック前のごく普通のパーティーで楽しむという話。もうひとつのパターンは、感染を隠してパーティーを強行した患者によって多くの人たちが症状を呈し、大規模なクラスターが生まれてしまうという話だ。

話を複雑化させるのは、以下のような事実だ。2020年7月、カーシン・リー・デイビスという17歳の女子高生がコロナウイルス感染合併症で亡くなった。当初、彼女はコロナパーティーに参加した直後に亡くなったと報道された。

しかし、彼女が実際に参加したのは教会で行われたイベントだった。不幸だったのは、このイベントに参加した人々の間のマスク着用とソーシャル・ディスタンシングに対する意識が低かったことだ。亡くなったのはイベントに参加した13日後だった。

ただし、コロナパーティーというキーワードが独り歩きを始めたタイミングで本当に起きた事件だったため、感染の原因と死に至るまでの経緯にさまざまなアレンジが加えられ、自ら進んでコロナパーティーに参加し、直後に感染して亡くなってしまったという、いろいろな意味でかわいそうな女の子の話として一気に広まった。パンデミック終息後の今、派生バージョンが生まれるのは時間の問題だと思っている。

シリコン豊胸爆発：ご搭乗時、気圧にはお気をつけください

アーバン・フォークロアは、時代の最先端のトレンドを敏感に察知してストーリーラインに盛り込みながら進化する。そして〝信じられる話〟となるため、発生の時系列を無視しながら事実を盛り込んでいく。この項目で紹介する話は、アーバン・フォークロアの進化の過程とネットロアへ昇華していく段階がよくわかる。モチーフとなっているのは、膨らむブラとシリコン豊胸だ。カップの部分にエアパッドのようなものが装着されていて、そこに空気を入れるブラがある。欧米のアーバン・フォークロアでは早い時点から最先端のグッズとしてモチーフになっていた。1958年の『リーダーズ・ダイジェスト』誌に、次のような記事が掲載されている。

〝膨らむブラ〟を発明し、販売している会社のトップが、プロモーション活動のため、自社のナンバー1モデルを連れてロサンゼルスからサンフランシスコまでの飛行機に乗っていたときの話。モデルはもちろん商品を身に着けていた。社長と一緒なのでファーストクラスに乗ったので快適なフライトになるはずだったが、飛行機が上昇するにつれ、彼女は不快感を増していった。胸が締めつけられるのだ。気のせいではない。物理的な感覚だった。ブラジャーが膨らん

でいたのだ。

飛行機が巡航高度に達したとき、ブラは膨らみきって、モデルは座席でのけぞるような姿勢になっていた。フライトアテンダントが慌てて駆け寄って来て、気圧調整機能を装備しているコックピットに連れていった。空いたスペースに座らせていると、徐々にブラがしぼみ始め、ロサンゼルスに到着する頃にはちょうどいい大きさに戻っていた。

1958年にアメリカですでに膨らむブラが発売されていたという事実にまず驚いたのだが、元ネタはサンフランシスコ在住のジャーナリストが地元新聞で書いたコラムであることがわかった。それが『リーダーズ・ダイジェスト』に掲載されたことで拡散が始まった。全米レベルでの拡散が確認されたのは1967年だった。『ロサンゼルス・タイムズ』紙のコラムニストが、少し前に事実として語られていた奇妙な噂として取り上げたのだが、この記事では「膨張しきったブラが客席で爆発した」というオチになっている。

やがて世界各地でブラを爆発させた女性の話が語られるようになったが、どの話もストーリーラインがほとんど変わらないので、いつの間にか下火になった。1958年に生まれ、全米レベルで知られるまで10年かかったというのも同じ理由だったと思う。

シリコンバッグ（インプラント）を直接胸に挿入する形の術式が一般化していくに従い、手術の失敗でメーカーや医師が訴えられるという事例が続出した。新しいテクノロジーと失敗事例。最も好まれるキラー・コンビネーションだ。こうした事実を背景に、90年代に次のようなバージョンが生まれた。ちなみにこの時代も、拡散の媒体は口伝だ。

モンタナ州に住むモデル志望の女の子が、思い切って豊胸手術を受けることにした。初めてのオーディションに間に合うよう手術を受け、傷跡がキレイになるのを待ってエントリーし、会場があるカリフォルニアに飛行機で向かった。

最初の異変は、離陸してから1時間くらいで起きた。信じられないくらいに胸が苦しい。シートベルトを外して楽な姿勢になっても圧迫感がなくならない。じっと座っていられなくなったので、トイレに行ったり、通路を行ったり来た

りしていたが、しばらくすると胸に激痛が走りだした。通路にうずくまってしまったところをCAに助けられて立ち上がった瞬間、「ボンッ！」という音を立てて両胸が爆発した。

オチはやはり爆発なのだが、豊胸用シリコンという新しい要素が盛り込まれることによって、より受け容れやすい話になったのだろう。そして多くのアーバン・フォークロアと同じく、この話もウィンドウズ95の登場をきっかけにネットロア化した。

その後美容整形手術にシリコンプロテーゼが使われる時代が来ると、爆発する場所も変わる。さらには――これは爆発のメカニズムの説明がきわめて難しい話になるのだが――、コラーゲンを打った唇とか額が爆発したというバージョンが出現した。爆発の被害者になるのは、派手な整形を行ったことがひと目でわかるセレブたちだ。

シリコン豊胸術が一般化した以降、２０１４年と２０２２年に、イギリスでシリコンバッグ爆発事件が実際に起きている。いずれも気圧の変化ではなかったが、ネットロアの世界では２つ実例があれば十分だ。ＡＩ時代のネットロアは、あっという間にフェイクニュース化する。本質以上のものになってしまってもおかしくはない。

ブラウン・ベティ：日焼けマシンで内臓がレアステーキ状態

1997年、爆発的に拡散したアーバン・フォークロアがある。当時からすでに拡散の媒体がメールだったので、第1世代のネットロアと呼ぶのが正しいと思う。

従妹がミネソタ州に住んでいるんだけど、その友だちの友だちが体験した本当の話。彼女はできるだけ早く日焼けしたくて、日焼けサロンに通っていた。最新式のマシンを入れたチェーン店の会員になったが、それでも思うように焼けない。

そこで、同じマシンがある別のチェーン店でも会員になって、1日に店舗を3〜4軒も回るようになった。おかげでかなり早く黒くなることができたが、このやり方はあまりにもリスクが高すぎた。最新型のマシンはかなり強力で、1日に1時間しか使ってはいけなかったのだ。

2週間くらい経ったある日、朝起きると、ものすごく具合が悪い。その日はなんとか過ごしたが、だるさと辛さは日を追うごとに増していく。それに、自分でもわかるくらい息が臭くなった。

どうしようもなくなって病院に行くと、診てもらった医師の口から信じられない言葉が発せられた。「あなた、何でこんな状態になるまで放っておいたんですか?! どんな理由かはわかりませんが、内臓が焼けただれたような状態になっています。いったい、何をしたらこんなことになるんですか！」

そこで彼女は、日焼けサロンに通って強力なマシンを毎日長時間使っていたことを打ち明けた。紫外線が内臓にまで達して、レアステーキのような状態になってしまったのだ。

「ブラウン・ベティ」というタイトルで呼ばれることが多いこの話の原話は、1980年代の終わりに口伝という形で広まっていたことが知られている。アーバン・フォークロアからネットロアへの進化という意味においても、第一世代なのだ。そもそもこの話、さまざまな州の地方紙に配信のような形式で掲載されていた『ディア・アビー』という人生相談コーナーに寄せられた投書がきっかけで有名になった。中でも語られることが多い1987年バージョンは、次のような内容だ。

ユタ州のプロボに住んでいる娘が手紙で知らせてくれた話です。このコーナ

ーで取り上げてもらえれば同じような目に遭う人が少なくなると思い、手紙を書くことにしました。

地元の高校でチアリーダーをしている17歳の少女が、一家でハワイ旅行に行くことになり、あらかじめ肌をきれいに焼いておきたいと思ったそうです。近くの日焼けサロンに行くと、最新型の機械がありました。強力なので、1日の使用時間は30分に限られていたそうです。

少しでも早くきれいに焼きたかった彼女は、その機械を置いている他の店を3軒見つけ、合計4件で1日2時間肌を焼き続けました。娘の話では、この子は今ユタバレー病院に入院しているそうです。体調を崩して病院を訪れたこの子を診察した医師は、内臓が激しく損傷しているのに気づいたそうです。網膜も火傷を負ったような状態でした。あまりにも長い時間日焼けマシンを使ったために、内臓が生焼けのような状態になってしまったということでした。この子の家族の心情を思うと、涙が止まりません。

1987年の時点で、正統派媒体であるはずの新聞の人生相談コーナーに〝ザ・アーバン・フォークロア〞という響きの話が掲載されていた事実は驚きだ。ただし、手紙を受け取ったコラムニストのアビゲイル・ヴァン・ビューレンはユタ州の新聞社に直接問い合わせて話を聞いた結果、事実ではない可能性が高いことを明らかにした。

定番ネットロアとなったこの話、今でもときどきネットの掲示板で派生バージョンを見かける。ただし、ベースとなるストーリーラインはまったく変わらない。「ブラウン・ベティ」は誕生後40年近く経っても人々——今はマジョリティがネット民になっているが——の関心を集め続けているようだ。

この話は、Xであるとか Threads といった媒体でも見られる。ひと目で理解できる画像・映像ネタが主流のこうした媒体で、じっくり読ませるタイプの話が拡散している事実はとても興味深い。別項目でも述べたが、アーバン・フォークロアであれネットロアであれ、文字化したときのインパクトが大きいという事実の裏側には、構成がしっかりしている——起承転結が見事に流れる——という特徴が挙げられる。

「ブラウン・ベティ」はこれから先の時代も、これまでのままのストーリーラインで生き続けていくのだろうか。もし、誕生から進化の過程まで含めて〝完全なネットロア〞が存在するなら、筆者は第一候補としてこの話を挙げる。

ホワイト・スレッド：アメリカでもバズった「ピアスの穴の白い糸」

1995年を境に、欧米で流行していたアーバン・フォークロアが日本で流行し、日本で語られていた都市伝説的な話が欧米で拡散するという状況が生まれた。これは、この本でもたびたび指摘しているように、ウィンドウズ95の普及がきっかけになってネット由来のコミュニケーションが増加し、ポップカルチャーにおいても情報距離がぐっと縮まったからだと考えている。この項目で紹介するのは、アメリカではアメリカ生まれであると思われている日本生まれの都市伝説だ。

とある女子大生が、友達にピアスの穴を開けてもらうことにした。安全ピンをライターで熱して消毒してから、それを耳たぶに刺す。ピンが刺さったまましばらく放置して、そっと抜くと、傷口から白い糸のようなものがぶら下がっているのが見えた。糸くずみたいだ。友だちは、それを指先でそっとつまんだ。すぐ取れると思ったのだが、思っていたよりずっと長い。仕方ないので少し力を入れて引っ張ってみたが、切れない。そのまま引っ張っていると、抵抗がなくなってスルスル出てくるようになった。

そのまま引っ張り続けていると、再び抵抗を感じた。力を入れても動かない。

そこで、指に何重かに巻き付けて思い切り引っ張ったら、どこかで「ブチッ!」という小さな音がした。

次の瞬間、耳に穴を開けてもらっているほうの女の子がこう言った。「ねー、ちょっと待ってよ。何も見えないよ。電気消すなら先に言ってよ」

スイッチは部屋を入ったすぐのところにあるので、二人とも届かない。もちろん停電でもない。実は、耳たぶからぶら下がっていた白い糸のようなものは視神経で、それを全部引っ張り出してしまったため、目が見えなくなってしまったのだ。


懐かしい思いで読んでいただいている方もいらっしゃると思う。筆者がとあるコミック誌の編集者からこの話を初めて聞いたのは1990年代初めだった。1994年刊行の『ピアスの白い糸――日本の現代伝説』(白水社刊)というハードカバー本にもメインのトピックとして収録されていた。都市伝説が大好きな筆者は、フィールドワークを常に大切にしてきた。90年代は、街頭インタビューを通して都市伝説的な話を採取していた。こういう過程でも「耳たぶの白い糸」の話をよく聞くようになり、ピアスを売っているお店や美容外科でも取材させていただいた。

この話、「The White Thread」という直訳なタイトルでアメリカのアーバン・フォークロアSNSでも紹介されている。アメリカ発の話として認識されることも多いのだが、中には日本で生まれた話がアメリカに入って来て拡散したという正しい経緯に触れているサイトもある。友達に安全ピンで耳たぶに穴を開けてもらうというのはアメリカではなかなか馴染まないシチュエーションであるため、リアリティに欠けると感じる人が多かったのだろう。すぐに派生バージョンが生まれて語られるようになった。

ある夏の出来事。ベニスビーチ（カリフォルニア州）で、サーファーがガールフレンドとおそろいのピアスを買った。ついでなので、その店で穴もあけてもらうことにした。そして数週間後。耳たぶの穴が猛烈に痛み始めた。ガールフレンドに見てもらうと、縁の部分から細い糸のようなものが出ている。引っ張ってみると、切れずにどんどん出てきた。面白くなってしまって引っ張り続けていると、サーファーの体からがくんと力が抜け、その場に倒れてしまった。驚いたガールフレンドは慌てて救急車を呼び、病院に向かった。

いろいろな検査を行った結果、耳たぶの穴から出ていたものは脊椎の一番上につながっている神経だったことがわかった。そうとは知らず、脳幹神経の一部を引っ張り出してしまったのだ。

サーファーは植物状態になって、今もＵＣＬＡ病院の集中治療室にいる。


進化はさらに続く。西海岸では主人公として親和性が高いサーファーも、アメリカ中部や東海岸では違和感がある。そこで、パンクロッカーを主人公にしたバージョンが生まれた。ストーリーラインはまったく同じで、耳たぶや鼻ピアスの穴から出てきた白い糸を引っ張った結果失明してしまったり、植物状態になってしまったりする話が拡散した。こうして、定番と言ってさしつかえのないレベルで語られるアーバン・フォークロアとなり、ネットロア化した。「耳たぶの白い糸」も、アメリカならでは時代背景の影響を受けながら進化したのだろう。

これはこれで、アーバン・フォークロアからネットロアへの進化が具体的に示された事例であると考えていいのではないだろうか。

CH4

キャラ系ロアの章

日本で流行した話でいうなら、古くは「口裂け女」や
「トイレの花子さん」。新しいところでは「四つん婆」。
キャラクター系のアーバン・フォークロアは数も多く、
内容もバラエティーに富んでいる。
こうした特質はネットロアになっても顕著で、
SNSを舞台にして
世界的なキャラクターも次々と誕生している。

ブラック・アイド・キッズ：白目のない子どもたち

ネットロアでは、新しいキャラが次々と生まれ続けている。この章で後に紹介するスレンダーマンは事実上のネットロア・キャラクター第1号であると思うのだが、BEK＝Black Eyed Kids＝黒い目の子どもたちは、初出こそスレンダーマンより少し早かったが、ネットロアのキャラクターとして定着したのは少し遅かったという時系列でとらえるのが正しいと思う。そしてスレンダーマンと同じく、多くのネットユーザーを巻き込みながら進化を続けている。

BEKとは、その名の通り白目がまったくない、真っ黒な目をした不気味な子どもたちだ。この話が広く拡散しはじめたのは1990年代の終わり頃だったと記憶している。年齢は6歳から16歳くらいで、夕暮れから夜にかけての時間帯にどこからともなく現れる。彼らに出会ったという人々の話を総合すると、いつまでも玄関先に立っていられるとか、車に乗せて怖い目に遭わせられるとか、何らかの怪異に巻き込まれる。

BEKを最初に知らしめたのはブライアン・ベセルという男性だった。職業がテキサス州の地元紙『アビリーン・レポーター・ニューズ』の記者だったので、ある意味独特な影響力を持っていたといえるだろう。ベセル記者がBEKと遭遇したのは19

96年のある晩だった。路肩に停めた車の中で書きものをしているとき、2人の子どもが車に近づいてくるのに気づいた。どちらも男の子で、9歳から12歳くらいに見えたという。2人ともフード付きのスウェットを着ている。子どもだけで歩くには遅すぎる時間だったので、ベセル記者は「どうしたんだ？」と声をかけた。

フードをかぶったまま顔を伏せ、少年たちはぼそぼそとしゃべり始めた。家は近くなのだが、映画を見に行くためのお金を取りに家に帰りたいらしい。しかし、上映時間が迫っているので誰かに車に乗せて行ってほしいということだった。

ここでベセル記者は異常に気付く。子どもにしては、声の響きがおかしい。それに、訊ねてもいないのに「大丈夫です。僕らは銃なんて持っていません」などと一方的に告げてくる。次の瞬間、2人が完璧にシンクロしたタイミングで顔を上げた。2人とも、白目がまったくない真っ黒な目をしていた。どこを見ているのかわからない視線に恐怖を感じながら、ベセル記者は声を絞り出して「もう映画は始まっているんじゃないかな？　間に合わないと思うよ」と言った。それでも2人は立ち去らない。それどころか、ドアのノブをつかんで無理やり開けようとする。逃れなければならないと思ったベセル記者は、すぐにエンジンをかけてその場から走り去った。バックミラーを見ていると、2人の姿が暗闇にすーっと消えるのが見えたという。

ベセル記者の個人的体験だったはずの話がネットロア化した理由は、全米各地に同じようなBEKがいて、同じような事件が起きていて、ベセル記者が書いた記事が公表されたことをきっかけに体験者が次から次へと名乗り出たことにほかならない。

数多くの体験談が語られていく過程で、イメージショット的に白目のない子どもの画像が使われることになったが、どれもインパクトがあり、ミーム化した。そしてミーム化した画像に「私が実際に出会ったBEK」というキャプションが付けられることがしばしばあったのは想像に難くない。嘘であると決めつけることができない体験談が多く語られる中、BEKの画像がミーム化して一気に拡散した。こうして、「BEKは実在する」「BEKは本当の話だ」というコンセンサスが形成されていった。

新聞記者という職業も自分が勤めている新聞社名も明らかにした上で自分の体験談を語ったベセル記者を疑う意味はあまりないような気がする。ただ、その後全米各地から寄せられた話がすべて事実かといえば、それは疑わしい。検索エンジンにBEKという文字を打ち込むと、あっという間にかなりのヒットがある。時間が許す限り読んでみたが、20件目を過ぎたころから同じパターンの書き口が増え始めた。そして、

「Friend of a friend =友だちの友だち」というアーバン・フォークロアの決め台詞的なワードが盛り込まれているものもいくつか見つけた。

BEKという言葉がすっかり定着し、ネットロアの定番キャラクターとしての地位が確立された2012年、ベセル記者は『モンスターズ・アンド・ミステリーズ・イン・アメリカ』というテレビ番組に出演し、新しい媒体で自らの体験を語った。すると、記事という形式で話を初めて書いたときと同じくらいのインパクトがあり、さらなる体験実話が集まることとなった。ネットロアの進化・拡散の過程とまったくと同じ状況だ。

BEKは今後、動画共有サイトを中心的なプラットフォームとして、画像・映像特化型ネットロアとして進化していくだろう。数えきれないほどのユーザーが制作した画像や映像が次々とアップされるプロセスが重ねられるたびに存在感が増して、定番ネットロアという認識が高まっていくのではないだろうか。

そして今も、人がいない夜道を運転しているとき、あるいは夜中にふと目覚めたとき見た窓の外に、真っ黒な目の子どもが立っているのを見たという話がアップされ続けている。

クリーピー・クラウン現象：本当は怖いピエロの話

ピエロの衣装を着た人物が意図的に監視カメラの前に立ち、写り込むという現象が頻発している。そういう構図の写真がネットにアップされることが多くなり、ミーム化している。一時は沈静化した感があったが、パンデミックを境に再びブームが訪れた感が否めない。このネットロアの主役は、クリーピー・クラウン（不気味なピエロ）というニックネームで呼ばれているキャラだ。

一連の現象の最初の一例を追っていくと、2013年イギリスのノーザンプトンで起きた出来事に行き着く。地元の映像作家3人組がピエロの衣装を着て街のあちこちにたたずみ、その姿を写真に撮って複数のSNSにアップした。さらに自分たちのプロジェクトを知らせる意図もあって、後にFacebookのページも立ち上げた。

その後、イタリアのテレビで『殺人ピエロ』というドッキリ番組が放送され、YouTubeでもピエロの姿でさまざまな過激ないたずらを仕掛ける『DMプランクス』というチャンネルが動画再生総数9億回という大バズりのコンテンツになった。こうした流れがクリーピー・クラウン現象の核となる部分を形成したと考えられる。

アメリカに限っていえば、東部マサチューセッツ州から中部イリノイ州、西部アリゾナ州というように2008年あたりまでに全米レベルで流行した。この現象に特化したスレッドも各種SNSで立ち上げられ、さまざまな書き込みが寄せられた。中には、親世代の人から寄せられた次のようなポストもあった。

私には公立学校に通う子供がいますが、インターネット上に不気味なピエロの画像が次々とアップされていることはよく知っています。ブームというよりも、高校生くらいまでの年代の人たちが多く関わりながら繰り広げられている現代ならではの現象だと感じています。複数のSNSで次のようなポストを見つけました。

「今日、オハイオビル南部で目撃されました」

「私の友人が住んでいるロングアイランドでは学校が封鎖され、市内の高校の裏にある森の中でピエロが目撃されたそうです！」

「ノースカロライナ州で再び目撃されました！」

これだけ多くの目撃例があるのだから、ピエロの服を着て立っているところを写真に撮られる実例が数多くあることはまちがいない。確認の意味も含めて、もう一度記しておく。特定の画像をベースにコラージュのような感覚で変化を加えるものを（インターネット）ミームという。それをアップするわけなのだが、クリーピー・クラウン現象は生身の人間が自らコスチュームを着てミームの役割を果たすことだ。おそらく、ピエロを演じる人間の目的はとにかく騒がれることなのだろう。ただ、愉快犯という言葉で片付けてしまうのはちょっと違うかもしれない。

不気味なピエロというモチーフは同じ時期に拡散したベビーシッター・ロアにも盛り込まれている。時系列的に見れば、ひとりきりで子守をしているベビーシッターが遭遇する恐怖というストーリーに、クリーピー・クラウン現象で認知度が高くインパクトが強いピエロを盛り込み、〝拡散ファクター〟が増えたのだと思う。

映画の影響も考えられる。１９８６年に出版されたスティーブン・キングの『ＩＴ』というホラー小説には子どもをさらって殺すピエロが出てくる。２０１７年に映画化され、ペニーワイズという名前のピエロが視覚化された。これがクリーピー・クラウン現象に与えた影響は少なくなかったはずだ。２０１９年には続編が製作され、ピエロの独特のおどろおどろしいイメージが定着した。同じ年に公開された『ジョーカー』の影響で、イメージが決定づけられたと指摘する声もある。

ピエロが与える元型的な恐怖という切り口では、犯罪心理学分野でも興味深い考察がある。それは、キラー・クラウン（殺人ピエロ）と呼ばれたアメリカの連続殺人鬼で、1994年に死刑に処されたジョン・ウェイン・ゲイシーに関するものだ。イリノイ州シカゴで建設会社を経営し、地元の名士として知られていたゲイシーは、子どもたちを楽しませるために誕生日のパーティーなどでピエロに扮することが多かった。しかしその裏で、ボーイスカウトを通して知り合った少年たちに次々に性的暴行を加え、殺害していたのだ。1972年から1978年にかけ、33人もの人命を奪ったことが明らかになっている。救いようがないほどダークなピエロのイメージは、ジョン・ウェイン・ゲイシーが本当の源泉であるというのだ。

クリーピー・クラウン現象、そしてもう少し広げてピエロに関するネットロアの背景には、2013年のノーザンプトンでの出来事よりはるかに古い元型的な恐怖が横たわっているのかもしれない。

現象の概念はかなり昔の時代に生まれていて、ネットという舞台を得た今になって、もともと秘めていたパワーが全開状態になっているのではないだろうか。今の時代は、漠然とした概念を可視化できる手段も充実している。

シャドーピープル：突然死をもたらすもの

誤解を恐れずに言うなら、これまで世界中で語られていた伝承めいた話が、インターネットに載っただけでネットロア化してしまうというケースもあるようだ。そしてネットロア化する話の核の部分が、大きく言ってしまえば集団的無意識や元型的なものに直結すると拡散は度合いを高め、範囲も広がる。この項目では、こういうジャンルの典型的なネットロアとしてシャドーピープルという話を紹介したい。

ちょっと想像していただきたい。ぼんやりとした感じの薄暗い照明しかない部屋の片隅。街灯は設置されているものの、かなり間隔が空いている裏通り。視野の端の、ごく狭いところに何かが映る。はっきりとした形は確認できず、黒い影であることしかわからない。

シャドーピープルは、こういう存在として語り継がれてきた。影という言葉で形容される超自然的存在は目新しい概念ではないはずだし、さまざまな文化に偏在している。こうしたものとの遭遇譚も数えきれないほどあり、眼の隅にほんの一瞬影が見えたり、影のようなものに監視されたりする感覚を抱くという体験が多い。

ネットロアで語られるシャドーピープルは、深夜に眠っている人々を襲う謎の影についての話が一番多い。遭遇した人々は長い間拭いきれない恐怖を植え付けられることになる。〝夜の精霊〟あるいは〝ジン〟など、呼び名こそ異なるものの人々を恐れおののかせる影の逸話は世界中で伝えられている。

夜中急に目が覚めると、光を透過しない質感の人影がベッドサイドに立っている。顔は見えず、姿もはっきりとしない。それはやがて近づいてきて寝ている人間にのしかかり、胸部や頸部を圧迫する。運が悪ければ、のしかかられたまま命を落としてしまう人もいる。それがシャドーピープル体験だ。

世界中に広がる体験談の主役の正体は何か？　赤い目をしたものや帽子をかぶった姿など、さまざまなタイプが報告されている。エイリアン・アブダクション（宇宙人による誘拐事件）やＭＩＢ（メン・イン・ブラック）とも無関係ではなさそうだ。

ノンフィクション作家ハイディ・ホリスは、自身もシャドーピープル遭遇体験者であり、自分の体験を基にして『ザ・シークレット・ウォー』（２００１年）という本を書いたところ、世界中から反響があった。そこから独自の分析を行い、シャドーピープル体験にさまざまなタイプとパターンがあることを明らかにした。亡霊や幽霊と混同されてしまうこともあるのだが、こうした超自然的な存在とはまったく違うと指摘する意見が多い。理由のひとつとして、亡霊や幽霊は個体を識別できるが、シャドーピープルはそうではない。

シャドーピープルに関しては、ネットロアとして拡散した話の内容と、金縛りなどそれほどレアではない体験の記憶がリンクする形で共感を覚えるというメカニズムとして説明できるとする心理学者もいる。これは睡眠麻痺と呼ばれる状態で、目覚めているものの体を動かすことができず、しばしば幻覚を伴う。まさに金縛りの状態だ。ただ、多くの人々に金縛り＝シャドーピープル体験として刷り込まれ、それが下地になってシャドーピープルの話が拡散したと思われる。

拡散の理由はもうひとつある。最近は、ネッシーやビッグフットなどＵＭＡの動画が数多くアップされているが、YouTubeそして特に日本の地上波のテレビの特番ではシャドーピープルがＵＭＡとしてカテゴライズされる傾向がある。完全な間違いとはいい切れないが、少し方向性が違うと思うのだ。

そういう〝少し違う〟方向性に冷ややかな視線を向けているのは、ネットロアが何であるかを熟知し、シャドーピープルの話をかなり昔からモニターし続けているユーザーたちだ。彼らが集まるＳＮＳに上げられるポストの内容は実にカラフルで、読んでいて飽きない。中でも興味深かったのは、シャドーピープルをスレンダーマンの元型とする説だ。双方とも、煮詰めていくと人間の最も基本的な部分に訴えかける恐ろしさを宿しているという。

わかりにくい概念に聞こえるのだが、刺さっている感覚が一番あるのは意外にもティーンエイジャー層のようで、YouTubeでもTikTokでも数多くのシャドーピープル関連動画がアップされており、視聴回数もかなり多くなっている。支持層がスレンダーマンを受け入れ、盛り上げているユーザーと重なっていることは十分に考えられる。

そしてシャドーピープルもまた、進化を続けている。最初は単なる真っ黒な人影だったが、帽子をかぶって現れる〝ハットマン〟、そしてフード付きのスウェットを着た姿で現れる〝フードマン〟といったスピンオフ的なキャラも登場している。筆者の個人的な印象を言わせていただけるならハットマンは前述したMIB、そしてフードマンはBEKの特徴を盛り込んだものではないだろうか。複数のネットロアが、それぞれの特徴を取り込みながら進化するという現象が起きているのかもしれないし、そうした過程こそがネットロアの本質の部分なのかもしれない。フォークロア全体を俯瞰したい筆者は、そのあたりに大きな興味を感じている。

スレンダーマン：人気No1のネットロアキャラ

日本の都市伝説に出てくるキャラクターといえば、古くは口裂け女や人面犬から始まり、トイレの花子さんやヒキコさんなど、すぐに脳裏に思い浮かぶものが多い。欧米のかつてのアーバン・フォークロアでは、日本のようなキャラクターありきという構成・展開の話は珍しかったが、最近はそうでもない。キャラ系ロアの章の中核的な話として紹介したいのは、アメリカで広い世代にわたって知られている〝スレンダーマン〟だ。

スレンダーマンは、デジタル時代の典型的なネットロアのひとつであり、ポップカルチャーと有機的に融合した好例ということができる。有機的という言葉は、ネットロアがきっかけになって現実世界でも物理的な事象が生じたという意味で使っている。

ネットロアとしての起源は、２００９年に『Something Awful』というＳＮＳで開催されたコンテストまでさかのぼることができる。フォトショップで作った画像で超常現象を表現するという内容だ。このコンテストで、ヴィクター・サージというハンドルネームのユーザーが、子どもたちのグループを見つめるようにたたずむ黒いスーツを着た背の高い痩せた人物の画像に「この男は多くの子どもの失踪事件やストーキング事犯に深く関わっている」というキャプションをつけて投稿した。ネットロアの主人公キャラクターとしてのスレンダーマンのイメージは、この投稿で完全に確立されたかもしれない。画像は瞬く間に拡散し、『Something Awful』のユーザーに限らず、ティーンエイジャー間でやりとりされるメッセージで多用されるようになった。

さらなる拡散のきっかけとなったのは、『Creepypasta』というサイトだった。『Something Awful』とまったく同じプロセスの拡散パターンで、スレンダーマンのオリジナル画像がミーム化し、アレンジが加えらながら新たな画像・映像が作られ「ここにもいた」というニュアンスの〝作品〟の絶対数が増えた。こうして多くのユーザーが関わる中、「スレンダーマンは実在する」というコンセンサスが構築されていった。最初は確信犯的なノリで参加していた人たちのほうが多かったのだろうが、スレンダーマンというキャラクターがサイバースペースから飛び出し、数多くの画像や映像に姿を残し続ける〝実在するこの世ならぬもの〟としてとらえられるようになっていく。

スレンダーマンの姿かたちを確認しておこう。不自然に長い手足に卵のような顔、背が高く、常に黒いスーツを着ている。性質的には、特に子どもたちに対してストーキング行為を行ったり、子どもたちを誘拐したり、トラウマを与えるような行動に出たりするとされている。

やがてその存在はネットロア特化型フォーラムやYouTubeでも存在感を高めるようになり、『Slender: The Eight Pages』というゲームまで開発され、広い世代において知られるようになる。先に使った〝有機的〟という言葉は、こういう側面にも当てはまるだろう。拡散力の高さは、同じような内容の話がアーバン・フォークロアと呼ばれ、口伝で広がっていた時代と比べ、けた違いだ。そして、スレンダーマンは既存のアーバン・フォークロアがインターネットに乗って拡散速度を高めた結果ネットロア化したわけではない。ネットで生まれ、無数のユーザーが意識的・無意識的に関わりながら進化・拡散した純粋なネットロアなのだ。

多くのユーザーの間に共鳴現象めいたものが起きた理由は何か。心理学的側面から探っていこうとすると、かなり深いところまで行かなければならなくなる。誰もが幼児期に体験する漠然とした恐怖――ベッドの下やクローゼットに隠れているおばけ――を想起させる見た目であるとか、ストーキングや誘拐などより現実的な恐怖を想起させるストーリーラインであるとか、専門家による分析はさまざまある。より直接的な要因を挙げるなら、ミームを自分で作れる楽しさ、それがネット全体に反映される達成感のようなものがアピールしたのではないだろうか。

もうひとつ重要な要素に触れておかなければならない。2014年5月31日、ウィスコンシン州で2人の12歳の女の子がクラスメートを襲うという事件が起きた。被害者のペイトン・ルートナーはナイフで19か所を刺されたが、倒れているところを自転車で通りかかった人に助けられ、救急搬送されて奇跡的に一命をとりとめている。

40年間の措置入院という裁定が下された実行犯のモーガン・ゲイザーには精神面の問題があり、現実と虚実の境界線の見分けがつかないような心理状態だったという。ネットの閲覧時間が極端に長く、特にスレンダーマン関連の情報に多く接していた。ルートナー殺害の計画を立てた共犯のアニサ・ウェイアに対しては、25年間の措置入院という裁定が下されている。二人とも、ルートナーがスレンダーマン本人であるか、あるいはスレンダーマンの手先であると思い込んでいたらしい。この事件がきっかけになって、スレンダーマンがさまざまな形でさまざまな媒体で扱われるようになり、幅広い年代で知られるようになった。

2018年には『スレンダーマン：奴を見たら終わり』という映画も公開された。その後、〝実写版〟スレンダーマン映像が続々とアップされている。

ナイトクローラー：地域限定型未確認生物

ゴールデンタイムに放送される地上波の「世界の衝撃動画」的な番組が好きで、よく見ている。どの番組にも、監視カメラに映った奇妙な現象や生物を紹介するコーナーが組み込まれている。外されることがめったにないコーナーであるということは、確実にウケるのだろう。ここで紹介する話は、こうした背景の中で人目に触れることが多く、現在進行形の比較的新しい現象についての話だ。

きっかけは、2007年にカリフォルニア州フレズノの住宅街に設置された監視カメラに奇妙なものが映ったことだった。夜中の道路を、白いズボンのような形のものが左右の脚の部分を交互に動かしながら前に進んでいる。日本でも学校の怪談系の「くねくね」という話があるが、〝くねくね〟が実在するならこんな外見だろうか。

映像に映った奇妙なものにはナイトクローラー（夜に這うもの）というニックネームが付けられ、それに撮影場所の地名が付けられて、ネット上では一般的に〝フレズノ・ナイトクローラー〟と呼ばれるようになった。

最初のビデオがアップされるまでの経緯については、以下のような話が伝えられている。2007年、ホセという名のフレズノ在住の男性が、毎晩続く飼い犬の吠え声に悩まされていた。何かに怖がっているのではないかと思った彼は、ガレージの屋根に家の前の道路に向けて監視カメラを設置することにした。

何日か続けて撮影し、巻き戻して確かめてみたところ、怪しい人影や野生動物は映っていなかった。しかし、その代わりにナイトクローラーの姿がとらえられていたというわけだ。驚いた彼は、スペイン語系のテレビ局ウニビジョンと、超常現象番組『ロス・デスペラドス』でホストを務めるリサーチャー、ビクター・カマチョに映像を送った。

物証となる映像がある以上、ナイトクローラーが架空の存在であると主張する意見はほとんどなかった。しかし解釈に関しては諸説ある。エイリアンの一種ではないかという推測もあれば、ネイティブアメリカンの伝説との関連性を主張する意見もあった。そしてホセのビデオが公開された後、ヨセミテ国立公園の監視カメラにもナイトクローラーが映り込んだという話が出た。結果としてホセのビデオの信ぴょう性は上がったが、ヨセミテのビデオはフェイクなのではないかという見方が生まれた。こうした流れの中で、ホセのビデオに対しても徹底的な検証が加えられるべきだという声が大きくなり、散発的ではあるものの、今も数々の検証が行われている。

ネットロアとしての広がりが見られるようになったのはこの後だ。スレンダーマンやBEKと異なり、拡散の起点はわかりやすい動画だった。イメージも確定しやすかったため、すぐにミーム化した。

ナイトクローラーの正体を明らかにしようと試みたり、アメリカ中の目撃例を集めて伝えたりするブログやポッドキャストも出現した。その存在はサブカルチャーのアイコンとして確立されたと語る専門家もいたほどだ。

ただし、スケプティクス＝懐疑派の意見は違う。すべてのきっかけとなったホセが嘘をついている可能性を大前提に、フレズノ・クローラー・ビデオがフェイク映像であることを証明しようとする人々も少なくない。確かに、ナイトクローラー・ロアはすべての人が納得するような物証があるわけではないし、単なるネットロアとして拡散しているにすぎない。それでも、ナイトクローラーは実在するという気持が固まってしまっている大多数の人たちの意見を覆すのは容易ではない。実際のところ、スケプティクスの声はほとんど響いていないというのが事実だ。

スケプティクスというのはUFOやUAP（未確認航空現象）、クリプトズーオロジー（隠棲生物学）、そして超常現象といったジャンルで多用されるボキャブラリーのひとつだ。ナイトクローラーはそもそもネットロアなので、スケプティクスと呼ばれる人たちが介在してくるのは珍しい。アーバン・フォークロアでは、ある話が「伝えられている通りには起きていなかった」という事実を暴く人々がディバンカーと呼ばれる。「ほんとうに起きた都市伝説」という言葉に違和感を覚える筆者自身も、どちらかといえばディバンカーという立場に属すると自認している。

フレズノの住宅街に設置された監視カメラがとらえた奇妙なものから始まったナイトクローラーというネットロアは、科学的説明が付けられないものに対する興味、さらにいうなら憧憬が創り上げた現象だと主張する心理学者もいる。最先端のテクノロジーに乗せて原始的な謎の感覚に満ちた話が拡散していくさまは、まさにAI時代のネットロアそのものといった現象なのかもしれない。

さまざまな思いを巻き込み、議論を生み出しながら、ナイトクローラーは科学的な説明が付けられないものの代表として生き続けている。その本質は、クリエイティブないたずらなのか。それとも、未知の生物が関わっている本物のミステリーなのか。

そうなると、ディバンカーを自認する筆者としては、ナイトクローラーが映っている映像を可能な限り探し出し、文書資料を集めるだけ集めて、ひとつひとつを論拠にしながら合理的なダメ出しをしていかなければならないことになる。先は長そうだ。

CH5
ダークなロアの章

アーバン・フォークロアであってもネットロアであっても、
〝ダークさ〟という要素抜きには考えられない。
ダークであるからこそ拡散するのだ。
奇妙な噂の基盤をつくる要素を基準に
集めた話を見ていくと、
時代の流れや大衆心理の移り変わりが明らかになる。
〝ダークであること〟の条件も時代によって変化する。

This Man現象：世界中の人たちの夢の中に現れる男

This Man 現象は、世界中の不特定多数の人々の夢に現れたという男性をモチーフにしたインターネット・ミームにまつわるネットロアだ。そもそもの始まりは、2008年に thisman.org というウェブサイトが開設されたことだった。

サイトの文章によれば、原因は特定できないまでも、同じ男性が多くの人たちの夢の中に同時多発的に出現する現象ついて多角的に考えようということになった。実際の夢体験についてのメッセージも多数寄せられている。

「夢の中で彼を初めて見たときから、彼のことが大好きになりました。決してハンサムではないのですが、ロマンチックな身振りと響きの良い言葉遣いで、実にチャーミングにふるまうのです。花や宝石を買ってくれて、夕日を見ながらのディナーに連れて行ってくれたりします」

「この男はサンタクロースのコスチュームを着ていました。彼の姿を見た私は、子どもの頃のような幸せな気持ちで満たされました。彼は私に微笑んだあと、頭の部分だけが風船になって私の頭に浮かびました。ただ、どんなに頑張って捕まえようとしてもできませんでした」

「この男が鏡の中で何も言わずに私を見ている夢を見ました。眼鏡をかけていて、私が見ている間は決して動かず、銅像のようにじっとしていました」

「夢の中で、私はなぜかこの男がブラジル人であることを知っていました。特徴的だったのは、右手の指が6本あったことです。仕事は学校の先生のようなことをしていると言っていました。アメリカで核関連の災害が起きたら、北に逃げろと言われました」

サイトで紹介されている現象の歴史に関する文章を見てみよう。2006年1月、ニューヨークで開業している有名精神科医の女性患者が、夢に繰り返し現れる男性の顔を描いた。その男性は彼女の私生活をかなり詳しいところまで知っており、個人的な悩みに対する具体的なアドバイスを与えられたことも一度や二度ではなかった。しかし実生活で彼と顔を合わせたことは一度もなく、姿を見せるのは夢の中だけだった。医師はセラピーの一環として彼女に男性の似顔絵を描いてもらうことにした。

数日後訪れた別の患者が、机の上に置いてあった似顔絵を見て「この男はたびたび夢に出てくる」と語った。しかし彼もまた、実生活で会ったことは一度もないという。わずか数日の間に二人の患者から夢の中だけに出てくる同じ男の話を聞いた医師は、仕事仲間にイラストを送って意見を聞くことにした。

そして数カ月後、4人の患者が夢の中で同じ男を見たという事実を知ることになる。しかも、繰り返し定期的に見るというケースも含まれていた。この頃から、不特定多数の人々の夢に現れる男は「This Man」と呼ばれるようになった。その後世界レベルに引き上げられて行われた調査により、2006年から2009年までの3年間でアメリカ、ドイツ、ブラジル、イラン、中国、イタリア、スペイン、スウェーデン、フランス、インドそしてロシアで延べ2000人の人々が夢の中で同じ男を見た事実が明らかされることになった。

This Man現象はネットロアとして拡散し、さまざまな解釈が加えられるようになった。心理学者や精神分析医はユングの理論を持ち出し、この男性の存在は集合的無意識の領域に属するもので、感情の発達や劇的な出来事、大小のストレスを感じたときに、普段は深層心理に埋没している元型的キャラクターとして現れるという説もあった。

ユング理論による解釈の対極に位置するのが、「ドリームサーファー理論」だ。この男は実在し、しかも他人の夢に入り込む特殊能力を具えている。実生活では素顔を隠しながら、巨大企業が立案・実行している向精神プログラムの手先として働いている。夢から夢へと渡り歩くことから、ドリームサーファーと呼ばれている。

こうした状況の中、thisman.org の作成者であるアンドレア・ナテッラに注目が集まるようになる。そしてほどなく、ナテッラがイタリアの社会学者である事実が明らかにされた。それだけではない。大がかりなしかけのデマを企画して展開する手法を得意とする広告代理店をしていることがわかってしまったのだ。結局、This Man 現象はサイトの立ち上げ当時制作中だった映画のマーケティング戦略であることが判明した。

ナテッラが再びマスコミに登場したのは、現象が沈静化して数年後だった。とあるインターネットマガジンのインタビューで、彼は自分の父親の古い写真をモデルにして絵を描き、それがキャンペーンの始まりだったことを語った。このプロジェクトはそもそも、何者かに夢を侵略されたらどうなるかと思ったことが始まりだったという。個人のコンセプトから始まったネットロアだったわけだが、かなり長い間さまざまな分野で影響を発揮し続け、日本ではマンガ化も映画化もされている。

これから先の時代は、優れたプロンプトさえあれば世界中に拡散するキャラクターを簡単に作ることができる。ネットロアは、その後自然発生するだろう。

この人は実在しません：ここまできたAI画像生成テクノロジー

スマートフォンを使っていれば、何らかのSNSアプリに触れない日はない。ただ、こうした身近なツールがAI時代ならではの詐欺の道具になっている事実も否めない。国際ロマンス詐欺という言葉がさまざまなシーンで取り上げられるようになってからかなりの時間が経過している。騙される人も後を絶たない。

かつてこの手の詐欺では、なりすましのためネット上で拾ってきた誰かの写真が使われることが多かった。しかし、2020年を過ぎたあたりから事情が変わってきた。実在しない人間の写真が使われることが多くなっているようなのだ。いや、この言い方は正確ではない。実在しない人間の画像や映像を使って国際ロマンス詐欺を回しているグループがある。そしてこのテクノロジーが転用される分野は急速に拡大している。そんなネットロアがある。

「This Person Does Not Exist」そして「Generated Photos」というオンラインツールがある。敵対的生成ネットワーク（GAN）を使って実在しない人間のリアルな画像を生成してくれるサービスだ。これまでにないコンセプトのサービスに魅力を感じるユーザーは多く、さまざまな方向性で使われてきたが、そのプロセスで数多くのネットロアが生まれてきた。

このツールを使って画像を生成し、それに「長い間行方不明だった従兄が出てきた」「100年前に撮影されたご先祖様にそっくりな人を見つけた」という文章を付けてアップすることが一時ブームになった。昔の写真を調べ、ハリウッド・セレブそっくりの人を見つけて騒ぐ遊びがはやったこともあった。

今拡散しているのは、画像を作り、それを起点に作った物語ネットロア化していくプロセスの詳細についての話だ。生成される画像の完成度はかなり高く、本物の写真にしか見えない。その機械的な精密さ・正確さが不気味なリアリティを醸し出す。AI生成画像をフックにした親戚ネットロアは英米を中心に広がりを見せ、同じ画像を媒体にして親戚同士であることを喜び合ったり、わざと「あなたは親戚かもしれない」という働きかけをしたりという、ネタ的な感覚で交わされるコミュニケーションも生まれた。

その正反対のおどろおどろしい内容の話もある。サービスを運営している人々にとっては本当に迷惑な話だが、「This Person Does Not Exist」で生成されたごく一部の画像が呪われているという話がある。アトランダムに生成される画像を受け取った人々が、一定の割合で不幸に見舞われるというのだ。この話は、別項目で触れている

「ＬＯＡＢ」に通じるところがあるかもしれない。敵対的生成ネットワークという聞き慣れない響きの言葉で表される画像生成のメカニズムのイメージがつながって、不吉な画像というモチーフの話が生まれた可能性を指摘する意見もある。

さらに一歩進んで、生成された画像の人物が毎晩夢に出てくるという話も生まれた。怖い話を集めるフォーラムでも同じ体験をしたという人たちの声が寄せられ、やがては実在しないはずの人が日常生活にも姿を現わすようになるというストーリーだ。別項目で触れている「This Man」のストーリーが融合する部分が感じられる。

サービスの背後にあるＡＩの高度な性能をモチーフにした話もある。有名人が結婚すると、二人の特徴を取り込みながら子どもの顔を予測するといった試みが行われることがあるが、基本的にはこうした方向性の話だと思っていただきたい。

ただ、親になる男女が特定されないまま「こういう顔の赤ちゃんは第2のアインシュタインになる」「救世主として生まれてくる子どもはこんな顔をしている」といった形で発表されることもある。そもそも実在しない人の顔をモチーフにした話なので根拠はまったくないのだが、同じネタの話であっても必ずある程度のバズりを見せる。背景には、ここ数年で複数回行われているＡＩによるキリストの復顔プロジェクトなど、一般のニュースソースで広く伝えられている情報も少なからず関係しているのだろう。

ストレートな怪談系のネットロアもある。一番多いのは、AIが生成した画像の中に、すでに亡くなっている人の顔そっくりのものが含まれていたという話だ。AIはネット上の情報を網羅するので、亡くなった人たちの画像情報も拾い上げる。ただ、このジャンルの話の肝の部分は、既存の情報に頼るのではなく、AIが死後の世界であるとか、あるいは世界中の人々の集合的無意識に何らかの形でアクセスした上で特定の画像を生成しているのではないかという疑念に向けられた話だ。

イーロン・マスク氏のニューラリンク社は、ブレイン・マシン・インターフェイス=脳と機械をリンクさせるテクノロジーに特化した企業だ。記憶や感情をクラウドにアップする技術の実現もそう遠くないと言われている。怪談系ネットロアには、こうした最新テクノロジーの存在を踏まえた内容のものも含まれている。

ネットロアであるかぎり、内容が完全な形で事実に基づくものではないことは大前提だ。ただ、最新テクノロジーと身近なモチーフを盛り込んで展開される話を自分ごととしてとらえるユーザーは決して少なくない。

ザ・バックルームズ：ネット上の無限空間

映像を主体に展開するタイプのＳＮＳは、それぞれのサイトの独自の世界観への没入度の高まりと共に、参加感とリアリティが増す。きわめてシンプルなコンセプトから始まったものであっても、拡散のプロセスで自ら複雑化し、巨大化する物語のステージにもなりやすい。この項目で紹介するのは、そういう感覚をそのまま具現化した「ザ・バックルームズ」というネットロアだ。

まずはこの世界観を紹介しておきたい。ごく普通の日常の中、奇妙な世界に足を踏み入れてしまう瞬間は突然訪れる。迷い込んでしまうのは大小の部屋が無限に続く誰もいない空間だ。出口を探して歩き続けるが、いくら行っても同じ光景が続く。歩き疲れた頃、背後で音がする。振り向くが、すぐ近くには誰もいない。しかし、かなり遠くに立つ怪しい人影が見える。この人物から逃れるために再び走り出すが、大小さまざまな大きさの部屋が並ぶ空間がどこまで広がっているのかはわからない。安全な場所はない。部屋の数はどんどん増えていく。やがて疲れ切ってしまい、足を止めて諦め、振り返って奇妙な人影と向き合う気持ちを固める。「ザ・バックルームズ」はこんな形で進む。

トレンドのきっかけとなったのは、２０１９年5月に4chan のとあるユーザーが

「不快なだけの不穏な画像」を投稿するよう呼びかけたことだった。これに応えて、ぼうっとした感じの黄色い光を投げかける蛍光灯と黄色い壁に囲まれた無機質なオフィスの画像が寄せられた。やがてこの画像に「バックルーム」という名前が付けられ、6億平方マイルという広大なスペースにわたって広がっているという説明文が書きこまれた。やがて多くのユーザーが、この画像を見て思い起こすことができるさまざまな物語を書きこむようになった。こうして具体的なコンセプトが固まりはじめ、それに多くのユーザーたちが作成した画像や映像、ゲームの要素などを盛り込み、ザ・バックルーム・カルチャーが形成されていった。

「ザ・バックルームズ」は、スレンダーマンをはじめとする数多くのネットロアのコンセプトを活かし、自分なりにアレンジして盛り込んでいくことができる仮想空間といえる。単純な構造で占められる広大な空間は多くのユーザーの想像力を刺激し、新しいフロアが設営されたり、あちこちにモンスターを配置したりすることでさらに拡張していった。こうした流れの中、バックルームに特化したサイトや短編ビデオが作成され、有名クリエイターがこれまで手がけていた短編映像をまとめて1本の長編映画にするというプロジェクトに関する計画も2023年のはじめに発表されている。

ネット上では、インターネットカルチャーという文脈におけるネットロアの特殊な形態とする意見が多い。90年代半ば以前の時代、世代を超えながら口伝で語り継がれていた伝統的なアーバン・フォークロアと同じく、派生バージョンと呼ぶべき数多くの物語がオンラインで共有され、拡散されるたびに進化する。未知の空間や次元、どこかで見たような感じの不気味で無機質な光景、単調な状況に対する不安から生まれる恐怖と好奇心が大きなアピールとなっているようだ。

そもそもネットロアであることがわかっている上で、そこから意図的に一歩踏み込んだ内容の話に変換させていく方向性も見える。「ザ・バックルームズ」は長編映画にもなるような有名なネットロアだが、この話には実際の体験者がいる。ゲームの世界ではノークリッピング（任意の面に設定されている壁や障害物を通り抜ける動き）が当たり前だが、時空や次元のゆがみであるとか、ポータル（出入り口）のようなスポットを通ってしまうと、現実と仮想現実の間でノークリッピングのような現象が起きてしまう。こうした体験を映像で具体的に表現したのが「ザ・バックルームズ」なのだ。

階層性のあるメタバース的な世界と定義されることが多いようだが、本質はむしろパラレルユニバースに近く、ホログラム世界理論やシミュレーテッド・ユニバースの概念とも無関係ではないだろう。こういう方向性の話をテーマにした動画がYouTubeやTikTokをはじめとするSNSで今も盛んにアップされている。ユーザーが新しいフロアを設営したり、不気味なクリーチャーを登場させたりというプロセスを考えると、別項目で紹介している「LOAB」であるとか、タイムトラベラーが撮影した未来世界の映像も同じコンセプトの作品として分類できるような気がする。

「ザ・バックルームズ」に関しては、かつて行われていた怪談大会が、時間と空間そして方法は変わったものの、本質の部分でまったく同じことが行われているような気がしてならない。参加人数が莫大であり、話し方とか声色でしか表現できなかった怖さを可視化する道具が大きく進化しただけだ。そう考えると、アーバン・フォークロアとネットロアを厳密に区別することの意味もあやふやになってしまいそうな気がする。メタバースをはじめとする仮想空間テクノロジーの進化を思うと、仮想空間の中で集まって怖い話をするイベントが普通になる、そう遠くない未来が容易に想像できてしまうのだ。

そこから先は、違う年代層で新しい形の拡散が起きることも十分に考えられる。「ザ・バックルームズ」は、ストーリー通り増殖が止まらないネットロアなのだ。

スナッフ・フィルム：殺人ライブビデオは実在する?

スナッフ・フィルム（映画制作のために行われた実際の殺人を撮影した映像）にまつわる話は、アーバン・フォークロアがネットトロアに形を変えた後の時代も根強く残っている。ただ、都市伝説的な話が好きな人であっても、このジャンルにはあえて触れないような空気があるかもしれない。

ネットトロアにタブーがあるとするなら、一番近いのはスナッフ・フィルム関連の話なのではないかと思う。この本で紹介している「ブランクルーム・スープ」のようにプロットの一部としてほのめかされることがあっても、殺人映像自体をテーマに据えた話の絶対数はかなり少ないはずだ。ならば、絶対数が少ない中でも生き残っていたアーバン・フォークロアがネットトロアに姿を変えたという見方が正しいのだろう。

発端は、ネットトロアの概念さえ生まれていなかった1976年にさかのぼる。その名も『スナッフ』という映画が公開された。アメリカとアルゼンチンという変わった組み合わせの合作で、公開前のプロモーションの時点から「本物の殺人を記録した映像」というニュアンスが強く盛り込まれていた。後になって「本物の殺人」という部分は誇張であることが明らかになったのだが、オフィシャルなチャンネルを通して伝えられた事実よりも、アーバン・フォークロアとして拡散した話の勢いのほうが勝ってしまい、『スナッフ』といえば殺人実写映画であるという図式が確立してしまった。しかもこのイメージは、ネットロア全盛の原題でも壊れることなく残っている。1962年生まれの映画少年だった筆者は、公開当時の状況をよく覚えている。

ネットロア化した後は、拡散の過程で禍々しい神秘性のような性質がさらに増幅され、数えきれないほどのフォーラムやサイトで議論が行われ、時として証拠映像――ほぼ100パーセントがよくできたフェイク動画だった――が示されることもあった。最近はYouTubeでもブラジルで強盗を試みた少年が非番の警察官に撃たれる映像などが出回っていて、スナッフ・フィルムは実在するという確信めいたものの構築に役立っているのかもしれない。しかし、真の意味でのスナッフ・フィルムと、そうしたものを娯楽目的で制作している業界の存在を証明するような具体的な証拠は出てきていない。

特化した調査を行っているディバンカーの数は少なくない。前述のとおり、きっかけとなった『スナッフ』のマーケティングに関しては、当時流布していた噂やアーバン・フォークロアの要素がちりばめられる形で行われたことがわかっている。さらには、ネットロアからホラーストーリー、そして陰謀論のモチーフとしてさまざまな場面で語られるようになった。タブーとされている領域にあえて踏み込んでいくタイプの話であり、タブーの種類も他の話とはまったく異なるものなので、独自の生き残り方と進化を実現したのだろう。

前述のとおり、ジャーナリストや法執行機関、そして一部の有識者によって何回にもわたって行われている調査の過程で、これまでに本物が制作され配布された事実を信頼できる証拠は、事実上見つかっていない。実例として主張されている事件のほとんどは商業的配布を目的とせずにビデオで撮影された架空の作品、実際にあった事件のデマ、誤解または虚偽であることが明らかになっている。

もうひとつ挙げておきたい要素がある。ネット上では、スナッフ・フィルムのコンセプトが今話題になっているフェイク・ドキュメンタリーあるいはモキュメンタリーと呼ばれる手法の映像作品の発火点となったのではないかという意見も目立っている。今となってはクラシックな趣がある1999年公開の『ブレア・ウィッチ・プロジェクト』はこのジャンルのホラー映画の名作として記憶されている。この手法はその後も別のジャンルに活かされ、映画でもうひとつ例を挙げるなら『ボラット』（2006年）YouTube 映像なら日本の『フェイク・ドキュメンタリー「Q」』シリーズ

（最初の映像の投稿は2021年8月）が挙げられる。ネットロアから生まれた話は、こういう方向性でも増殖しているのだ。以下に代表的作品を挙げておく。

＊Faces of Death（1978）：この映画は実際の事故に演出された死のシーン、自殺のイメージ、解剖映像を組み合わせる形で作られたフェイク・ドキュメンタリーだ。厳密な意味でのスナッフ・フィルムではないが、生々しい内容と描写が現実とフィクションの境界線を曖昧にするテイストから、数多いネットロアの原点のひとつとされている。

＊Cannibal Holocaust（1980）：暴力と死のリアルな描写が反響を呼んだホラー映画で、俳優がカメラの前で殺された事件に関して監督のルッジェロ・デオダートが殺人罪で起訴された。映画の公開後に俳優が生きていることを証明して反証している。現実的な効果と暴力描写が、スナッフ・フィルムの代表作として知られるようになった。

テクノロジーが飛躍的に進化している今の時代は、ユーザーのほうがリテラシーを高め、映像に対する認識を根本から見直す必要に迫られているのかもしれない。ディープフェイクのような、想像さえできなかったテクノロジーも完成しているのだ。

トーキング・アンジェラ：無邪気なアプリは誘拐犯の御用達

2023年11月に行われたとある調査で、日本の中学3年生のスマホ所有率が82％に達することが明らかになった。アメリカの調査では10歳から12歳の年齢層でファーストスマホを持つという傾向が明らかになっている。初めてスマホを持つ年齢の推移と共に、特定の年齢層へのアピールを狙ったアプリ開発も進化している。この項目では、特に若年層のスマホユーザーの親たちの間で拡散したネットロアを紹介する。

フランス生まれの白いネコを主役にした「トーキング・アンジェラ」は、Outfit7によって開発された人気のインタラクティブ・モバイル・アプリだ。ユーザーはローティーン年代が多く、テキストチャットや音声対話で白ネコのアンジェラとコミュニケーションを取れるようになっている。

親世代の間で拡散したネットロアの中核部分は、このアプリが子どもたちを狙う犯罪者たちによって悪用されているという話だった。やがて「このアプリのユーザーの子どもたちを中心に誘拐事件の被害者が増えている」という話が拡散し始めた。チャットをしている間にユーザーの個人情報が抜き取られ、カメラを通して監視するために使われて、最終的には誘拐につながるいうストーリーだ。裏サイトが存在し、そこからアプリに入って子どもたちの様子を見たり、姿を見ながら音声／文字チャットができたりするという話もあった。こうした背景から、子どもたちに直接的な脅威を与えるアプリというイメージが徐々に確立していった。

ここまでの話は、もちろんすべてネットロアだ。AIを使用したチャット機能に関して生じた誤解によって疑念と恐怖心が増幅され、抑えがきかなくなってそのままの形で拡散したということなのだろう。

ユーザーに対する質問の内容はあらかじめ設定されており、目的は自然な内容の会話をスムーズに行っていくためで、個人情報を集めることではない。これは、アプリの基本的な仕組みとして公開されている情報だ。また、カメラによる監視という話も対話型アプリに関するネットロアではよくある話で、ユーザー側でプライバシー設定を行えば済む話でしかない。

自社開発アプリに関するよからぬ噂がネット上で拡散していることを察知したOutfit7は、早い段階から一連の噂がネットロアにすぎないことを大々的に告知し、ユーザーのプライバシーと安全は完全に保証されていることを繰り返し訴えた。しかしこういう努力も、Facebookにアップされた次のような書きこみの爆発的な拡散力の前では無力でしかない。

iPod、タブレットなどの電子機器を持っている子供を持つすべての親のみなさんへの警告：「トーキング・アンジェラ」というアプリがあります。このアプリを使っていると、ユーザーである子どもたちに対して名前はなに、学校はどこといった質問が向けられ、写真も撮影されます。画面左下のハートを押すと、勝手に写真が撮影されてしまうのです。お子様が使っている端末をチェックして、このアプリがインストールされていないことを確認してください。このメッセージを友達に伝えてください。

ご両親、そして祖父母は注意してください！　私の息子と結婚する女性は、この警告を友人から受け取りました。お子様に「トーキング・アンジェラ」をダウンロードさせないでください。不気味でしかありません！

アバターの白猫があまりにかわいく、しかもアプリが無料だったために、正規のアプリストアを経由せずにダウンロードしてしまった女性もいます。指示に従って質問に答えている途中、彼女はカメラが起動していることに気づきました。アプリにはすでに名前と年齢が伝わっており、自宅のリビングルームに

いることも知られていました。気味が悪くなってすぐに削除したそうです。どうか、ひとりでも多くの人にこの警告を回してください。

もう、完全にチェーンレターのノリだ。ネットロアのモチーフに仕立て上げられてしまった「トーキング・アンジェラ」もOutfit7も、ただただ気の毒でしかない。ここで紹介した警告文は2022年の1月末に筆者のFBページに送られてきたものだ。「トーキング・アンジェラ」がリリースされたのは2012年。10年経過しても、ネットロアとしてのパワーは衰えていない。それどころか、小児性愛者の募集ツールとして使用されている、あるいは人身売買ビジネスの関係者が使っているという話まで生まれている。

「トーキング・アンジェラ」は、特に子どもたちの安全に関する誤った情報がネット上で急速に拡散する状況の好例といえる。情報を共有する前に検証することの重要性、そしてインターネットを安全に利用する上でのデジタルリテラシーの役割を浮き彫りにした。多数のアプリを乗せたスマホが毎日使うごく普通の道具になった今、子どもがいるいないに関わらず、リテラシーは可能な限り高めていたほうがいい。

CH6
ゲームロアの章

実機であれネットゲームであれ、
不特定多数のユーザーがからむゲームは
ネットロアの温床となりやすい。
通信機能が搭載されていることが普通になった今の時代、
ゲームロアは質量ともに特徴的な進化を遂げているジャンルだ。
「〇〇チャレンジ」という名前が付けられた
ゲームの流行も大きな役割を担っている。

エレベーターゲーム：魔界への入り口はごく普通のエレベーター

本書には「クリーピーパスタ」という言葉がよく出てくる。あまり馴染みのない言葉だが、ウィキペディアでは次のように定義されている。〝インターネット上でコピー・アンド・ペーストを通じて流布している、恐怖を催させる説話や画像のことである。クリーピーパスタは多くの場合、インターネットユーザーが作成したものであり、簡潔な内容で、閲覧者を怖がらせることを目的とした超常的な物語となっている〟

この項目で紹介する「エレベーターゲーム」は、ユーザーの間で相互認識されているリチュアルパスタ＝儀式物語というジャンルのネットロアとして分類されている。「エレベーターゲーム」が最悪レベルのリチュアルパスタであると考えるユーザーは、決して少なくない。ごく簡単に手順を説明すると、10階建て以上のビルを探してエレベーターに一人で乗り、あらかじめ決められている順番でボタンを押していく。目的は、自分を異世界あるいは別次元へ送ることだ。

途中で5階から女性がエレベーターに乗ってきたら、決して姿を見てはいけない。「エレベーターゲーム」には、拡散のプロセスでこうした細かい設定やルールが数えきれないほど加えられていった。そして、異世界に入ることができたとしても、現実世界へ戻ってくるのが想像以上に難しい可能性にも触れられていた。

基本的なコンセプトが異世界と現実世界を行ったり来たりすることなので、性格はクリーピーパスタなのかもしれない。しかし拡散の過程で多くのホラー／オカルト愛好者であるユーザーが加わって全体に影響を及ぼす細部が後づけで構築されていったため、リチュアルパスタという形容がふさわしいということになったらしい。

ルールに触れておこう。途中で邪魔されずに使用できるエレベーターがある10階建て以上のビルを探す。チャレンジャーは最初から最後まで単独でプレイしなければならない。途中で1回もエレベーターから降りることなく、指定された順番でさまざまな階を行ったり来たりしなければならない。フロアのボタンを押す順番はオリジナルバージョンで決められているが、後に生まれた派生バージョンでは順番が異なることもある。すべて指定通りにこなすと、異世界あるいは別次元に到達できる。詳しく見てみよう。

1階からエレベーターに乗る。

4階のボタンを押す。

4階に着いたら2階のボタンを押す。
2階に着いたら6階のボタンを押す。
6階から再び2階へ降りる。
2階から10階に行く。
5階のボタンを押す。

この時点で、エレベーターに女性が入って来る。しかし彼女は異世界の住人であるため、視線を合わせたり言葉を交わしたりしてはならない。女性がエレベーターに入ってくるのを確認したら、チャレンジャーは1階のボタンを押す。次の瞬間にエレベーターが降下せずに10階に向かって上昇し始めたら儀式は成功で、プレイヤーは異次元に到達できる。エレベーターが上昇するのを感じたら、もう一度自分の気持ちを確かめる。怖くなってしまったら、1階と10階以外のフロアのボタンを押す。これは、9階を過ぎるまでに行わなければならない。10階に着いたら、エレベーターから出るかそのままとどまるかを決める。5階で乗ってきた女性から、どこに行くのか訊ねられるかもしれない。しかし答えてはいけないし、姿を見てもいけない。何も言わずにエレベーターから出て、周囲を見渡すこと。乗ってきたエレベーターの場所を確認しておく。別のビルで同じチャレンジをしている人たちがいるからだ。しばらく歩いていくと、異世界に生きている自分と会うことができるといわれている。しかし基本的には、その世界にいるのが自分だけであることを知るだけだ。

現実世界に戻ってくるにはどうすればよいのか。エレベーターから出なかった場合はそのまま1階のボタンを押せばよい。1階に着いたら、儀式が失敗してしまったときとまったく同じ行動をする。外に出た場合は、乗ってきたのと同じエレベーターに戻ることが大切だ。乗ったら4階のボタンを押す。4階に着いたら2階、2階に着いたら6階、その後は2階、10階、5階、そして1階という順番でボタンを押していく。ボタンを押す順番を間違えたり、途中でエレベーターから出たりしてはいけない。

5階で女性が乗って来た後1階のボタンを押し、エレベーターが下がってしまったら儀式は失敗に終わったことを意味する。1階に着いたらドアが開いた瞬間に外に出ること。決して振り返ってはいけない。そのまま進み、一刻も早くビルから出る。ここでも振り返ってはいけない。別の日に戻り、もう一度チャレンジできる。アメリカでは映画化されているので、その映像を通してバーチャル体験をしていただきたい。

サッド・サタン：バーチャル迷路の出口に待つものは？

ひと昔前まで、ハードの違いこそあれ、ゲームは実機派が圧倒的に多かったはずだ。しかし何年か前から、端末にダウンロードして遊ぶ人たちのほうが多くなった。今最も使われている端末は、おそらくスマホだろう。

この項目で紹介するのは、２０１５年に話題となった「サッド・サタン」というオンラインゲームにまつわるネットロアだ。プレイするのが難しく、かつ内容が不気味なゲームを数多く紹介している『Obscure Horror Corner』というYouTubeチャンネルで紹介されたことが、拡散の直接的なきっかけになったといわれている。チャンネルの運営者は、匿名のユーザーがゲームのデータを送ってきたと主張していた。はっきりわかることが少なかったために好奇心を煽られたユーザーたちによって、最初からさまざまな噂が飛び交っていた。

実際のプレイ画面はホラーゲームをベースにしたもので、舞台が迷路だったため、プレイヤーは方向感覚を狂わされ、それによってさらに恐怖感が増すという効果が生まれたのかもしれない。ジョン・F・ケネディ大統領が暗殺される直前のシーン、多くの人々の脳裏に禍々しい記憶として残っている有名な児童虐待犯を思わせる文字や画像、そしてシャロン・テート殺人事件の犯人チャールズ・マンソンやヒトラーの音声に加工が施されたクリップがところどころにちりばめられていた。視覚と聴覚に訴える効果が強く意識されていたことは間違いない。迷路を進んでサッド・サタン＝悲しいサタンを探し出すというのが基本的なコンセプトのゲームなのだが、単調な画面構成だけを見れば、別項目で紹介している「ザ・バックルームズ」とも似ている。

暗号化されたメッセージも「サッド・サタン」について語る上で欠かすことができない特徴的な要素だ。Redditをはじめとする各種のネット媒体で話題になり、さまざまな方向に話が広がっていった中でも人気のトピックで、解読に成功したというユーザーもコメントを寄せていた。解読に成功した後は「私はあなたの居場所を突き止めることができる」「あなたの名前は私のリストに載っている」「殺して、殺して、さらに殺せ」という文章がスクリーンに示されるようになったという。暗号の解読に成功するとユーザーを特定できること、ユーザーが何らかのリストに載っていることがほのめかされ、誰を意味するのかはわからないが、「殺せ」と指示される。

迷路を基本ステージに据えた構成とアトランダムに現れる不気味なクリップや暗号メッセージによって、「サッド・サタン」の世界観はすぐに拡散し、このゲームの背景には何かとんでもないものが隠されているのではないかといぶかるユーザーが多くなった。それにつれ、単にゲームの世界観を語るというライトな性質から、ゲームに盛り込まれたサブリミナルメッセージを解き明かそうというハードワーカー向けまで、数多くのフォーラムが次々と誕生した。

すべては『Obscure Horror Corner』が登録者数の増加を狙って展開したプロモーションであるという推測もあったが、運営サイドはゲームの制作者についても、ゲームが送られてきた経緯についても詳細を明らかにはしなかった。

迷路を進んでサッド・サタンを捜し出し、暗号メッセージを解読する誘惑に駆られるユーザーは、まずゲームに関する情報を徹底的に集めておく必要があった。数多く存在するフォーラムで、複数のバージョンが流通している事実が明らかになっていたからだ。しかもオリジナル以外のバージョンのほとんどにウイルスが仕込まれているという話も出ていた。ダウンロードした時点で感染する可能性もあり、どうしてもプレイしたいのなら、『Obscure Horror Corner』で紹介されたオリジナル版を選ばなければならない。しかし、巧妙な作りのフェイクサイトに誘い込まれてしまうケースも少なくなかった。こうした状況が続く中、そもそもこのゲームはアンタッチャブルな性質のものであり、関わらないほうがよい種類のものというコンセンサスが生まれるようになる。

やがて、「サッド・サタン」はディープウェブ由来のゲームであるというネットロアが主流になった。ディープウェブという言葉と並べられたとたんに、独特の神秘性と危険なゲームのイメージが増幅された。多くのユーザーがディープウェブ由来のコンテンツは違法行為やサイバー犯罪と直結する事実を知っているからにほかならない。

ましてや、製作者や発表に至るまでのプロセスも明らかにされないままの状態が続いていた。ゲームプレイのシステムそのものにも、細かい部分の仕掛けにも、マインドコントロールとまではいわないでも不気味で不安を煽るような素材が大量に仕込まれている。最終的にダウンロードするだけでウイルスに感染してしまうという話になったわけだが、これは容易に想像できる流れだったはずだ。

「サッド・サタン」の本質は、これからの時代におけるデジタル・ホラー・ストーリテリングの可能性を探ることを目的とした、スケールが大きい実験だった可能性が高いという最新の見立てもある。この話に限らず、ゲーム関連のネットロアは何らかの秘密プロジェクトと関連づけられることが少なくない。

シケイダ3301：オンライン・メガクイズの真実

シケイダ（Cicada＝セミ）3301というのは、インターネット上で公開され、全世界のユーザーが挑戦したインターネット・パズルを提供していた個人あるいは組織のニックネームだ。IQが高い人を集めるという理由で始められたものだが、そういう人たちを集めてから行うことについては何も明らかになっていない。この話の核の部分は、難解なパズルを作成したのがどんな組織や個人だったのかということだ。最初にアップされたのは2012年で、次のようなメッセージから始まった。

「こんにちは。私たちは、高い知性を持つ人々を探しています。こうした人たちを見つけるため、テストを作りました。ここに示した画像には、メッセージが隠されています。これを見つけて、私たちを捜し出してください。長い道のりを経てたどり着く人たちにお会いできるのを楽しみにしています」

その後2013年、2014年（いずれも日付は1月4日）と合計3回にわたって同じことが行われた。パズルを解いた人だけが次の段階に進むというプロセスが繰り返され、最終的には何らかの賞品を手にできることが示唆されていた。

ヒントを探すためには、幅広くかつ深い専門的な知識が必要になる。インターネット関連はもちろん音楽やゲーム、中世のイギリスの詩、そして芸術作品の知識に加え、暗号化やエンコーディングといったコンピューターサイエンス関連の実務能力も欠かせない。世界中のユーザーがパズルに取り組み、実際に何らかのコンタクトがあった人もいたようだが、個人名は公表されなかった。2014年まで3年続いてアップされ、多くの人が取り組み、突如としてすべての動きが停まってしまった。

2013年は、政府機関の特殊な職務に向く人たちを探すためのリクルート活動ではないかという推測が有力だった。かなり昔の話だが、第二次世界大戦中には暗号解読者を募集するために全国レベルのクロスワード大会が開催された事実もあるし、情報機関に就職するためのテストにパズルが出題されることもあるという。大手IT企業によるキャンペーンという推測もあった。

ネットロア特有のおどろおどろしい要素も数多く盛り込まれながら話は拡散していった。インターネット上の秘密結社のイニシエーション（入会儀式）であるとか、既存の秘密結社がインターネットを使って行っているメンバー選抜であるとか、凄腕ハッカー集団の活動という解釈もあった。チリ政府当局は違法行為に関与したハッカーグループの活動のひとつであると主張したが、この説は今も立証されていない。さらにはカルト教団が関係しているとか、新しいところでは黒幕としてすべてを画策していたのが後にQAnonとなるグループだったという説もある。

シケイダ3301には、画像内にデータを隠すために使われるステガノグラフィというテクノロジーが活用されている。最初の設問の画像をステガノグラフィ分析ソフトにかけると、イギリスの詩人ウィリアム・ブレイクの『天国と地獄の結婚』という作品の一節である〝For Every Thing That Lives Is Holy〟という文字列が浮かび上がる。参加者たちは、示される画像から得られるヒントを使って回答し、正解すれば次の段階に進みゴールに近づいていく。謎解きのプロセスが繰り広げられるのは、コンピューター上だけではない。正解すると実際に行くべき場所が示されたウェブサイトに導かれることもある。サイトに示された場所にいくと、セミのロゴマークの横にQRコードが印刷されたポスターが貼られている。QRコードでたどり着くサイトに次のミッションが示されている。現実世界で得られるこうしたヒントは、日本やポーランドも含めて全世界にまたがっていた。これだけのスケールで、サイバースペースと現実世界を行ったり来たりしながら展開するゲームを作ったのは誰だったのか。

〝主催者〟は、2014年に次のようなメッセージを複数のSNSにアップした。

「私たちは探していた人物を見つけました。私たちの旅は終わります。みなさんの献身と努力に感謝します。テストを完了できなかったとしても、絶望することはありません。このような機会はこれからもあるでしょう。皆さん、ありがとうございました。3301」

シケイダ3301が何の説明もなく唐突に終わったのは、手は込んでいるものの悪意のないいたずらだったからだという見方もある。この事件に関する資料を調べていると、日本語では「オタク」と訳されることが多いGeek（ギーク）という言葉をよく見る。シケイダ3301の存在が、世界中のギークたちに深く刺さったことは間違いない。もしかしたら、サイバースペースを舞台に繰り広げられたメタ・ギーク祭のようなイベントだったのかもしれない。

第3回を最後に、新しいパズルがアップされることはなかった。世界中の挑戦者たちの大半が単なるフォロワーであることを告げられた形で終わってしまっているのが事実だ。『ワシントン・ポスト』紙をはじめとする主流派マスコミ媒体も注目し、いまだにインターネット史上最も不気味なミステリーのひとつとして挙げられている。

2021年には『Dark Web: Cicada 3301』という映画も制作されている。シケイダ3301の再来をひそかに望むギークたちは、想像以上に多いと思うのだ。

チャーリー・チャーリー・チャレンジ：デジタルこっくりさんがもたらす恐怖

日本人なら、大流行した昭和世代の人たちはもちろん、ほとんどの人が「こっくりさん」を知っているはずだ。よく似たものとして欧米では「ウイジャ・ボード」があるが、この項目で紹介するのはこっくりさんやウイジャ・ボードのネット由来版ともいえる「チャーリー・チャーリー・チャレンジ」というゲームのネットロアだ。〝デジタル降霊会〟という呼び方もよく目にする。

２０１５年頃から行われるようになったゲームで、直接ダウンロードするのではなく、ネットで遊び方を見ながら進めていく。ＳＮＳ経由で急速に拡散し、ティーンエイジャーのユーザーから熱烈な支持を受けて、さまざまなサイドストーリーがネットロア化した。基本的にはきわめて単純な占いゲームで、チャーリーという名前の超自然的存在――精霊あるいは霊体――とコミュニケーションをとりながら進められる。媒体となるウイジャ・ボード的な道具もシンプルだ。

まず紙を１枚準備し、その上に全体を四分割するよう縦と横の線を入れる。四つのスペースに〝Yes〟と〝No〟を書きこんでいくが、同じ項目が対角になるように配置する。そして鉛筆を紙の上に置き、うまくバランスを取りながら十字架のように組み合わせる。

バリエーションはいくつかあるが、参加者のひとりが「チャーリー、チャーリー、遊んでもいい?」と唱えて精霊を呼び出す。鉛筆が動き出してYesを指したら、チャーリーがその場に来ていて、参加者からの質問に答える準備ができている。その後は〝Yes〟か〝No〟で答えられる質問を重ね、コミュニケーションを深めていく。やめたくなったら「チャーリー、チャーリー、やめてもいいですか?」と言って許可を得なければならない。鉛筆がYesを指すまで待ち、感謝の言葉をかけて儀式は終わる。

拡散の場となったのはTwitter(現X)やFacebook、Instagram、Vineといったソーシャルメディア・プラットフォームで、ユーザーがチャーリーとコミュニケーションを取ろうとするたくさんの動画が共有された。こうした傾向は特にティーンエイジャーの間で急速に目立つようになり、各種メディアで報道された。状況があまりにも加熱したため、一部の宗教関係者や教育関係者からこのゲームの本質的な要素によってパニックや精神的苦痛がもたらされる可能性を指摘する懸念の声が上がった。

「チャーリー・チャーリー・チャレンジ」が引き金になって、物理的なパニック症状を起こしたといわれるケースも実際にある。2015年にコロンビアのトゥンハという都市で4人のティーンエイジャーの女の子たちが集団ヒステリーと思われる症状のために入院した。土着信仰を大切にする世代の人たちから非難の声も上がり、ゲームが悪魔崇拝につながる可能性や憑依現象の危険性が叫ばれ、東リビアをはじめとする一部の国では自殺との関連性を懸念した政府当局がゲームそのものを禁止するという措置が取られた。

この章で紹介しているゲームすべてにあてはまるのだろうが、「チャーリー・チャーリー・チャレンジ」もまた、インターネット空間の民間伝承であるネットロアがどのようなプロセスを経て文化や言語の壁を超えて生まれ、世界中で同時多発的に拡散していくのかを検証する好例といえる。

アーバン・フォークロアやネットロアは、現代神話と形容されることが多い。新時代の神話が紡がれる主な場はソーシャルメディアというデジタル由来のスペースであり、そういうスペースで超自然的な内容の話が生み出されるという事実も興味深い。「チャーリー・チャーリー・チャレンジ」の本質は、日本の昭和時代の小学生たちが放課後の教室で行っていたように、シンプルで無害なゲームだったはずだが、このゲームに副次的かつ意図的な情報がデジタル由来のスペースで生まれ、拡散した。

専門家は、ゲーム中に観察される現象について、さまざまな角度から心理的／科学的説明を試みた。紙の上に十字架状に重ねて置いた鉛筆が動くメカニズムについてあえて解釈を加える試みもあった。鉛筆がひとりでに動く現象は、無意識の小さな運動動作の結果としてのイデオモーター効果、あるいは単に参加者の呼吸といった単純な物理的説明が次々と挙げられた。ゲームを進めていく上で生まれる予測や暗示によって、人々が完全に自然な出来事を超常現象として認識してしまう可能性がある。これは、同じ思いを抱く人々の影響によってさらに増幅され、特に集団としての恐怖体験に対処することが強い絆になりえるティーンエイジャーの間で顕著となる。

それでも、広く拡散して確立されてしまったネットロアは認知度も信頼度も高い。名のある専門家がいかに言葉を尽くしたところで、同じ世代の多くの人たちによってシェアされている感覚が崩れることはなかった。

アイスバケット・チャレンジとか、ボトルキャップ・チャレンジなどポジティブな内容のチャレンジ系ゲームが流行した時期がある。一見無害でシンプルな「チャーリー・チャーリー・チャレンジ」の急速な拡散は、そういう流れに乗る形で起きたのではないだろうか。

ブルーホエール・ゲーム：自殺を求めるオンライン・チャレンジ

「ブルーホエール・ゲーム」は、50日間にわたって50項目のタスクをこなすよう求めてくるオンラインゲームなのだが、参加者が最終的に求められるのは自殺だ。少し前に話題になっていた「モモ・チャレンジ」と同じジャンルの話と考えていいだろう。世界中で多くの子どもたちが命を落とす原因になったといわれているが、ネットロアで伝えられているとおりに進行するゲームが実際に見つかったことはない。ただ、このゲームが実在すること、そしてゲームによって多くのティーンエイジャーが命を落としたことがネットロアとして伝えられている。

チャレンジは「真夜中に起きる」とか「怖い映画を見る」とか、何でもないタスクから始まる。毎日こなしていくうちに「高いビルの屋上に行って手すりを越える」とか「腕にクジラの入れ墨を入れる」など、内容が不気味で危険になっていく。そして50日目に最後のチャレンジとして「自分の命を絶つ」というタスクが示される。具体的な方法まで指定される場合もある。原話バージョンとして、次のような話が伝えられている。

ロシア南東部の都市に住むリナ・パレンコワという名前の少女が２０１５年11月22日、黒いスカーフで口と鼻を覆った姿で、乾いた血が付いた中指を立てている姿のセルフィーをアップした。キャプションとして「Nya bye」という言葉が添えられてい た。彼女はその翌日自殺した。

事件はロシア最大級のSNS『VKontakte』が主催する複数のチャットルームで話題になり、その後さらにこの話題に特化した多くのルームが新たに立ち上げられた。多くのティーンエイジャーが集まって日常生活について語るもの、あるいはうつ病や孤独、自殺といった暗いテーマについて語るものなどさまざまなコンセプトのルームがあるのだが、一時期はどこもリナさんの自殺の話一色という状態になっていた。事件がロシアの若者層にもたらしたインパクトはかなり大きく、国家レベルの機関であるロシア国家経済アカデミーも実態調査に乗り出す。

少しして、この事件には他の二人の少女の自殺も関わっていたことが明らかになった。2015年のクリスマスの日、12歳のアンジェリーナ・ダビドワがリャザン市で、そしてその約2週間後、やはりリャザン市出身のダイアナ・クズネツォワが相次いで命を絶った。アンジェリーナとダイアナの両親が娘たちのオンラインアカウントを調べたところ、奇妙な事実が判明した。2人が同じオンライングループに属していたのだ。このグループのメッセージのやりとりには、リナの絵や自殺、そしてなぜかブルーホエール＝シロナガスクジラについての書き込みが目立った。

このグループ内で、自殺とクジラのイメージがどのように結びついたのか。ダリア・ラドチェンコをはじめとするロシア国家経済アカデミー所属の科学者たちも、ほかの専門家たちも結論に至っていない。ただ、グループのメンバーが自分たちの絆を具体的に示し、感じるためのものとして大都市の夜空を飛ぶクジラの画像を使っていたことがわかっている。

クジラと自殺のリンクがロシアの一般社会でも話題になるようになったのは、2016年5月だった。ロシアのタブロイド新聞『ノーヴァヤ・ガゼータ』の記事がきっかけとなって一気に知られることになった。この記事によれば、自殺した二人が属していたオンライングループの書き込みに、「Ocean Whales」あるいは「f57」というハンドルネームの人物が提供するゲームがあった事実を知らせる文章が見つかった。このゲームは、プレイヤーに50日間で50項目のタスクを与えるという内容だったというのだ。

それだけではない。2015年11月から2016年4月までに「Ocean Whales」に参加した130人の子どもが自殺した可能性が示唆されていた。こうして「ブルーホエール・ゲーム」の世間的なイメージが確立し、ロシア全土でパニックが起きた。知事が自らテレビ出演して危機感を訴える州もあった。そして、このトレンドが国外に広がるまで大した時間はかからなかった。

2016年11月、事態が急変する。フィリップ・ブデイキンという21歳の男性が自殺教唆で逮捕された。心理学専攻の元学生で、コンピューターの知識がある人物だ。2013年にゲームを作成し、自分の名前の綴りの一部と電話番号の下二けたを組み合わせた「f57」という名前でリリースしたことを語り、有罪を認めて懲役3年の判決を受けた。ただ、実際に起きたといわれる自殺事例の因果関係を示す資料は存在しない。

親しい友人たちは、彼が「ブルーホエール・ゲーム」を作って拡散させたとは思えないという。逮捕当時、彼は作曲にハマっていて、自作の曲を発表するためのサイトを管理していた。可能な限り多くのフォロワーを得るために、リナ・パレンコワの自殺に関するコンテンツを使って注目を集めただけだったというのだ。「ブルーホエール・ゲーム」は、事実として語られている部分と事例として伝えられている話をうまくリンクできない特質が拡散のスピードを上げる働きを果たしたと思うのだ。

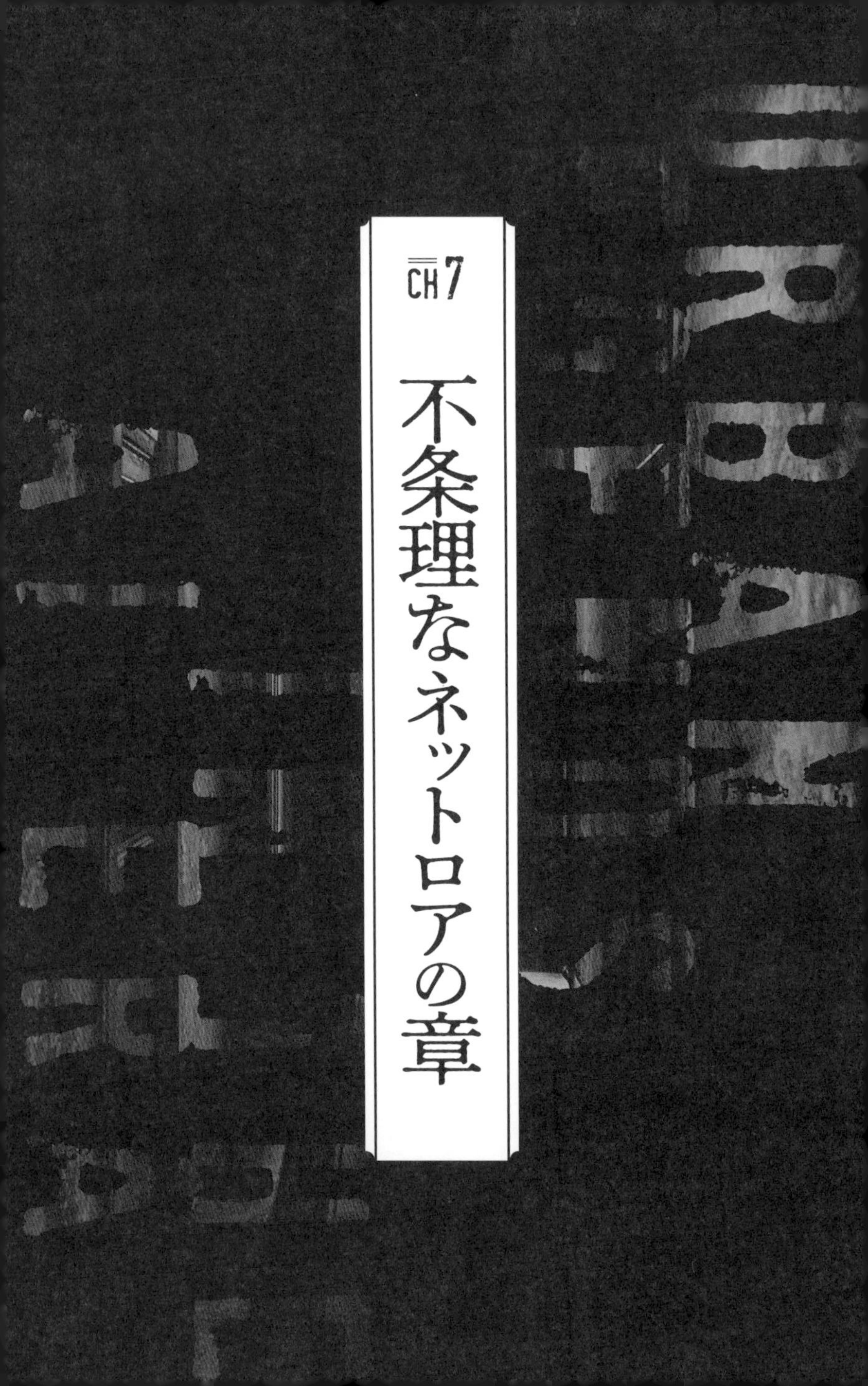

CH 7

不条理なネットロアの章

理屈ではない怖さとか、
不気味さを軸に展開するネットロアがある。
不条理さというのは、今の時代のネットロアの
最大の特徴かもしれない。
デジタル機器や端末ならではの機能と組み合わせて
語られる話の数々は、リアルで身近で、
そして何より不条理な怖さや不気味さで満ちている。

Annie96 is Typing：リアルタイム記述で進むストーキング事犯

「Annie96 Is Typing...」（「アニー96が入力しています」）は、チャットで見慣れた機能をモチーフに展開するホラー系ネットロアだ。二人の人物が交わすチャット履歴を見たユーザーがひとつの出来事をリアルタイムで共有しているような感覚に陥る作りになっている。

ホラー系ネットロアに特化したサイトCreepypastaにアップされ、ハンドルネームPascal Chatterjeeという人物が作者であることもわかっている。まず2014年、次に2017年に大きなブームとなり、後に映像化されてYouTubeにビデオがアップされた。文字情報として生み出された作品が映像媒体に置き換えられ、それが拡散したというプロセスになる。

チャットのやりとりを見せながら怖さを演出していくという手法は日本の「きさらぎ駅」によく似ている。「きさらぎ駅」は主人公の女性の投稿から始まるが、「アニー96が入力しています」もきわめて似たフォーマットで物語が進む。偶然かどうかはわからないが、ネットロアの進化の共通性を見ているようで興味深い。

ストーリーは、ハンドルネーム〝annie96〟のアニーというキャラクターとハンドルネーム〝マクダベイ〟のデビッドというキャラクターの間で交わされるWhatsApp

上でのチャットという体で進む。アニーからの「うちの庭にジャケットを着た気味の悪いやつがいる」というメッセージを受けたデビッドは、躊躇せずに警察に通報する。アニーとのやりとりが続くうちに、男が家の中に侵入する様子が知らされる。

文章を追っていると、アニーがいる部屋に達する前に男はいなくなったように感じられるが、実はそうではなかった。やりとりの途中で、男とアニーが入れ替わっている可能性がほのめかされる。ユーザーは次のメッセージを読むためにエンターキーを押さなければならなかったため、リアリティと参加感が増した。

やがてこの話はTwitter（現X）でシェアされ、ここから本格的な拡散が始まった。構成の面白さが話題になり、デンマークをはじめとするヨーロッパ各国の数多くのブログ、そして『アイリッシュ・タイムズ』をはじめとする主流派メディアでも取り上げられ、さらに知名度を高めていった。やがて事態はさらに進む。「Annie96 Is typing」のバックストーリーを考え、それをアップしたユーザーが現れた。

アニーの家の庭に立っていたのはジョニーというゲイの男性で、彼はデビッドに思いを寄せていた。ジョニーはデビッドに告白したが、拒否されてしまう。デビッドはストレートで、しかもアニーが好きだった。ジョニーはどうしても納得いかず、アニーがこの世からいなくなればデビッドも自分のことを見てくれるかもしれないと思った。そこでアニーが家で一人になる夜を狙い、彼女を殺してしまうことにした。

家の中に入ると、アニーはスマホとサバイバルナイフを持ってクローゼットに隠れていた。ジョニーが庭に立ってタイミングを狙っているところを見られてしまったのだ。そしてジョニーはナイフを奪い取り、その場でアニーを何度も刺して殺した。

ここまでの流れを整理しておく。「Annie96 Is typing」はホラー系ネットロアの創作者が作品をアップするCreepypastaで発表されたもので、構成の面白さから支持を受け、一般媒体でも知られるようになった。

しばらくして後日談的な話が創られ、さらに支持されるようになった。オリジナルの話と後日談的な話が同時に拡散していく中で創作怪談とその続編ではなく、独立したネットロアとして認識されるようになった。

多くの人たちがFacebookやTwitter（現X）あるいはTumblrといった媒体にアップして拡散し、討論型ＳＮＳのRedditでは一番人気のトピックとなり、アニー96を特定しようという動きまで広がった。

こうした動きは「Annie96 Is Typing」がそもそもどのような経緯で知られるよう

になったのかについて知識がない人たちが中心になって起きていたと考えられる。逆にすべてを知っていて、意図的にトレンドを生み出して楽しむ人たちがいたのかもしれない。いずれにせよ、アニー96は実在の人物で、ストーリーもある程度までは真実であると認識する人が激増したということになる。

この話が多くの人々の興味をかきたてた理由は何だったのか。まず言えるのは、話のアイデアと構成が秀逸だったからだ。自分ごとに近い感覚でとらえるユーザーが多く出た状態は2004年の日本で生まれ、後に小説化されてテレビ番組や映画にもなった「電車男」が発した熱量にも似ているかもしれない。ちなみに、欧米では、前述の『ブレア・ウィッチ・プロジェクト』での手持ちカメラによる画面展開がもたらした効果に例えられることが多い。いずれの解釈も、参加感と緊張感がキーワードになるだろう。

このネットロアのキーポイントをひと言で表すなら、イマーシブ＝没入ということになるだろうか。社会心理学分野でもコンピューターサイエンス分野でも、デジタル・コミュニケーションにおけるストーリーテリングの方法として革新的だった形式が、今後のネットロアの方向性のひとつを確立させたという見方をする人が多い。

Birds Aren't Real：陰謀論を逆手に取ったオンラインキャンペーン

「Birds aren't real ＝鳥は本物ではない」運動は、ごく簡単に定義するなら、どこにでもいる鳥は一般市民をスパイするためのドローンであるという陰謀論だ。ただし、この本でも紹介しているおどろおどろしい陰謀系ネットロアではない。そもそも陰謀論の概念のパロディとして始まったもので、ＳＮＳでの人気も注目度も高い。本質であるユーモアを高く評価するユーザーが多い一方で、真逆の方向性で真剣に深刻に受け止める人たちもいる。

運動の発端は２０１７年の初めだった。ピーター・マッキンドーというアーカンソー大学の学生がテネシー州メンフィスに住む友人を訪れていた。当時はトランプ大統領が選出されたばかりで、アメリカ社会全体が不安定な空気で占められていた。大都市でも小さな街でも親トランプ派と反トランプ派のデモが繰り広げられ、小競り合いが起きることも珍しくなかった。

メンフィスで行われていた「ウィメンズ・マーチ」というイベントのデモを見ていたマッキンドー氏は、デモ隊の中に異様な一群を見る。大柄で年配の白人男性が、ウィメンズ・マーチの精神を否定するようなスローガンを書いたプラカードを掲げて堂々と歩いていたのだ。これは正しくないと感じたマッキンドー氏は、彼らをやんわりとディスる方法を考えた。そこで、その場には何の関係もない「Birds aren't real＝鳥は本物ではない」と書いたプラカードを掲げてデモに加わると、さっそくプラカードの言葉の意味をたずねられた。そこまで準備を整えていなかったので、思いつくまま次のように答えた。

この運動は50年前から続いているものであり、そもそもアメリカの野鳥を救うために開始されたものだが一度失敗してしまった。一般社会には知られていないが、野鳥は次々に殺されている。殺しているのはディープステートだ。彼らは殺した野鳥をドローン型のロボットにすり替え、大衆の監視を行っている。今となっては、みんなが鳥だと思っているものはほぼすべて精巧なドローン型監視ロボットにすり替えられている。

運が良かったのか悪かったのか、誰かが彼の写真を撮ってFacebookに投稿した。これが拡散し、マッキンドー氏がまったく知らないところで、メンフィスは「Birds aren't Real」運動の発祥地であり中心地であるというコンセンサスができあがってしまった。ディープステートと鳥型監視ドローンロボットの関連性に関するコメントも後追いする形で知られることになり、ディープステートと敵対するトランプ大統領を熱烈に支持するQアノンが敏感に反応し、「Birds aren't real」運動が既成事実化した。

存在しない運動という意味合いでは完全なネットロアなのだが、マッキンドー氏の画像がフックとなって拡散のスピードを速めたのだろう。最初にバズりを見せたのは高校生世代だった。そこから派生バージョン的にさまざまな要素を盛り込んだ話が生まれ、「タカやワシ型ロボットは高空からの監視活動が得意だが、映像の解像度が一番高いのはハト型だ」とか「フライトあたり航続距離が長めに設定されているのは海鳥型らしい」という話が次から次にアップされた。

若年層ユーザーはネタ的な感覚でツイートしたりポストしたりする場合がほとんどだったので、記憶に残ることもそれほどなかったのだろう。しかし若い世代間で爆発的に拡散した話は、中年層以上の人たちの記憶に根強く残った。

アーバン・フォークロアは、口伝で拡散していた時代であっても〝信じられやすい話〟となるために自ら変容していくようなところがある。ネットロアもまったく同じプロセスをたどるのだろうが、スピードは比べものにならない。

一連の動きが面白くなってしまったマッキンドー氏は、積極的に露出を増やしてさまざまな媒体のインタビューに応じ、ＣＩＡが明確にアメリカ国民をスパイする目的で設立された政府機関であり、鳥型ロボットが監視システムの頂点に位置するテクノロジーであることを語った。

前述のとおり、ウィメンズ・マーチのデモの当日マッキンドー氏がアドリブで語った陰謀論は、その後の具体的なプランを考えた上での発言ではない。特に影響力がある人物ではなかった大学生がその場のノリで放ったひと言が、ネットロアまで昇華してしまったのだ。運動が勢いを失うことはなかった。マッキンドー氏は仲間を集め、元ＣＩＡ職員がリークしたという極秘文書を捏造して公開し、他にもさまざまな〝事実〟をでっちあげて数多くの「Birds aren't Real」関連のミーム画像を作成した。

その後、話はさらなる進化を見せている。陰謀論系ネットロアのハードビリーバーたちは、マッキンドー氏も含める形で、運動そのものがＣＩＡによって計画され、実行されているものだとしている。目的は、陰謀論全体の信ぴょう性を低めるためだ。ネットロアに関してはディバンカー寄りのスタンスである筆者だが、陰謀論となると、視線がややビリーバー寄りになってしまうことは自覚している。だから、「Birds aren't Real」をただ笑い飛ばすことはできない。

ブランクルーム・スープ：殺人事件の記録ビデオがアップされた？

2005年11月に「Freaky Soup Guy」という名前でYouTubeにアップされて以来、「ブランクルーム・スープ」ビデオは、多くのユーザーが関わりながら語り続けられてきた有名なネットロアだ。

白い壁に囲まれた部屋の中に置かれた椅子に座った男性が、目の前のテーブルに置かれているスープボウルからスープをすくって食べ続けるシーンが延々と続く。やがて、男性はなぜか苦しみ始める。するとサルがモデルのアニメキャラのような着ぐるみに身を包んだ人物が部屋に入ってきて、なだめるように男性の背をなで始めるが、男性はさらに苦しみ続ける。2人目の着ぐるみの人物にマッサージされると、大きな声で泣き始める。それでも異様に大きなスプーンを手にして目の前に置かれたボウルから何かをすくって食べ続ける。

ビデオの後半になっても、変化は起きない。じっと様子を見ていた着ぐるみの2人は、やがて男性を急かせるような仕草を見せる。ビデオはそのあたりで突然終わる。ストーリーはまったくなく、ただスープを食べている男性を映したこの映像は何を意味するのか。

ネット上に不気味なコンテンツが存在することは事実だ。こうしたコンテンツは、特殊な状況を記録したドキュメンタリーである。そんな内容のネットロアが拡散することがある。「ブランクルーム・スープ」は、こうしたジャンルの好例といえる。

ちなみに、ビデオに出てくる2人の人物の着ぐるみはRayRay＝レイレイという名前で、『ザ・シンプソンズ』や『ズートピア』で知られるアニメーター、レイモンド・S・ペルシによって作成されたものだ。ペルシも自らこの着ぐるみを使ってパフォーマンスを行っていたことがあった。ところが、この着ぐるみは何者かに盗まれてしまう。

ペルシ本人は、このビデオの制作には一切かかわっていないことを強い口調で何回も主張している。無理もない。少なくともこのネットロアにおいては、男性が食べているのは彼の妻の骨から作ったスープだということになっているのだ。

ペルシの証言によれば、レイレイの着ぐるみが盗まれた後、彼にメールが送られてきた。盗み出されたという事実についてはYouTubeを通してスタッフおよびユーザーと情報を共有していたが、着ぐるみが盗み出された具体的な理由や経緯が明らかにされることはなかった。こうした背景からも、ペルシが何らかの形で「ブランクルーム・スープ」と関係しているという噂が絶えなかった。

実際の殺人のプロセスを撮影した映画を意味する〝スナッフ・フィルム〟(別項参照)という言葉がネット上でさかんに使われていたことがある。娯楽での鑑賞を目的に作られたこの種の映像のビデオテープが極秘ルートで流通していた時代もあったが、今は特定のサイトさえ知っていれば簡単にダウンロードできるといわれている。

ホラー系のトピックに特化したアメリカ人女性ユーチューバーReignBot(レインボット)が「ブランクルーム・スープ」に対する集約的な調査を行ってその結果を発表しているが、彼女の調査が緻密だっただけに謎はかえって深まることになってしまった。

ReignBotの調査をきっかけにして、ダークウェブという要素が盛り込まれることになる。ダークウェブとは、サーフェスウェブでは取り扱うことができないコンテンツを含むディープウェブの一部と定義されている。医薬品から武器、ハッキングされた情報などさまざま〝違法商品〟をやり取りするためのウェブサイトで満たされ、通常の概念に基づく規制はまったく及ばないスペースだ。ただ、ダークウェブにアップされたコンテンツがサーフェスウェブに浮かび上がってしまうこともまったくないとはいえないようだ。多くの一般ユーザーが「ブランクルーム・スープ」を知ることになった背景には、さまざまな種類の偶然が介在したと考えられる。

現時点でわかっていることをまとめておく。初めてアップされたのは2005年で、そのときは「renaissancemen」というハンドルネームが使われていた。そもそもすべてペルシ自身が画策したプロジェクトであり、自分でアップロードしたという説もある。しかし前述した通り、ペルシはRayRayの着ぐるみが盗まれたと主張し、ビデオとは一切関係ないとしている。そして、「ブランクルーム・スープ」が本物のスナッフ・フィルム由来の映像であるかどうかはわからないが、その可能性が強く感じられるネットロアが拡散していることは事実だ。

ダークウェブがらみではより具体的な話がある。こちらの方向では、RayRayの着ぐるみを盗んだ犯人たちが夫妻を誘拐し、妻を殺害し、遺体からスープを作って男性に食べさせているところをSuperHorrorBroというユーチューバーに撮影させたしたというストーリーが定説となっている。

アップロードされてからかなりの時間が経っているが、本質は何も明らかにされていないに等しい。数多い派生バージョンに関して納得のいく説明ができた人間もいない。深い闇を感じるネットロアだ。

ラベンダータウン症候群：日本発のメガヒットゲームに隠されたネットロア

この項目で紹介するのは、2010年頃にさかんに噂されていたネットロアだ。その後の年代でも同じパターンの進化を見せた話がいくつか確認できるので、このジャンルの話として限りなく原話バージョンに近いものであると考えている。

モチーフとなったのは、1996年に発売されたとあるゲームボーイ用の大ヒットゲームだ。このゲームに、海外ではラベンダータウンと呼ばれているステージがある。日本語名では「シオンタウン」というこのステージのBGMが原因で体調不良を起こす子どもたちが続出したという話なのだが、これを実体験として覚えている人もいれば、ネットロアとして拡散してからの経緯しか知らない人もいるだろう。

最初は体調不良が起きるというだけの話だったのだが、ネットロアとして確立してからは販売地域で延べ200人の子どもが亡くなったということになってしまった。問題のBGMは周波数が低く、子どもの聴力は大人よりも敏感なために多くの音を拾ってしまい、それが原因で脳に悪影響が出て死に至るという話だった。若年層にしか聞こえないモスキート音のイメージが盛り込まれた感も否めない。

かなり無理な内容なのだが、大ヒットゲームだっただけにユーザーが多く、拡散力も抜群だった。そして話はさらにエスカレートする。体調を崩して亡くなるだけではなく、自殺者が続出したという噂まで拡散してしまった。

やがて、発売当時の〝隠された事実〟を振り返る体での話が生まれる。ゲームの発売後数日間で10〜15歳までの約100人の日本の子どもたちがビルの屋上から飛び降りたり、首を吊ったりして自ら命を絶っていたという内容だ。日本に住んでいるわれわれは、これが嘘であることは知っている。しかし、ネット空間では既成事実がいとも簡単に作られて、あっという間に拡散してしまう。

ラベンダータウン症候群にも一抹の真実となる出来事がある。ゲームのコンセプトそのままのアニメ番組が1997年に放送され、一部の視聴者が光過敏性発作を起こすという事件が起きた。関東地区で16％台、関西地区では10％台という視聴率だったため、発作を起こした子どもたちの数は決して少なくなかった。この事件がきっかけになって、光の点滅を多用する描写や動きのスピードに関するガイドラインが設定され、放送時には「テレビを見るときは部屋を明るくして、画面から離れてご覧ください」というテロップが入れられるようになった。

日本では「シオンタウン症候群」と呼ばれていたこの話については、自殺者が続出しているという内容が嘘であることは最初から明らかだった。しかし諸外国では事情がまったく違う。症候群とか自殺というネガティブな響きの言葉のイメージが独り歩きする形であっという間に話が拡散し、ごく簡単に既成事実化してしまった。デジタルタトゥーと同じで、一度既成事実化した話がネットロアとしてパワーアップすることはあれ、沈静化することはまずない。さらには、昔を懐かしむようなテイストのネットロアを媒体として、「ラベンダータウン症候群」は今も新たな進化を続けている。モチーフになったのがかなり売れたゲームだったこと、そしてゲームのシリーズとしても新作が作られ、ポップカルチャーにおいて世界的に人気が高いテーマであるため、「ラベンダータウン症候群」がベースになって新しい派生バージョンが生まれている実情が感じられる。

ごく最近のバージョンでは、すべてがソーシャルエンジニアリングであるとか、大規模マインドコントロール実験だった可能性があるという内容のネットロアになっている。ホラー系のネットロアに特化したCreepypastaなどの人気サイトでも、そういう方向性でコンセンサスが確立されているように感じられる。

日本のアニメやマンガを専門にした掲示板にも、「ラベンダータウン症候群」の話が今も定期的に挙げられる。「初めて聞いた」「日本にいる友だちが詳しく知っている」「友だちの友だちが入院した」——書き込みの内容はさまざまで、それぞれにかなりの数のレスがつく。

筆者は英米を中心とする海外のリサーチャーと情報交換をすることが多く、さまざまなジャンルの話が出る。パンデミック中にオンラインでミーティングや取材を行っていたとき、何人かのリサーチャーと「ラベンダータウン症候群」の話をした。40代のイギリス人リサーチャーは、当時の彼自身の個人的な体験と自分が行った調査の結果について教えてくれた。彼は奇妙な話はまったく聞かなかったという。ラベンダータウン症候群という言葉を初めて聞いたのも、大学を出て1年くらい経った頃だったようだ。ただ、そこから先はかなりの勢いで拡散したのを記憶していて、同年代の人間の間でも認知度が高いネットロアであることを教えてくれた。

彼の調査によれば、イギリス国内では子ども年代の人口に対する何らかの実験が行われたというストーリーとして認識されていて、知っている人が多いためにいまだに語られている。最近のトレンドとしては、ネットロアとしての拡散の裏側を探っていって、既存の陰謀論的な話と結びつける論調が多い。「ポリビアス」にきわめて近いメカニズムで拡散し、認識されている話なのだろう。

ロシアン・スリーピング・エクスペリメント：非人道的人体実験の全記録？

睡眠実験という言葉が使われているが、このネットロアの核の部分は、睡眠を必要とせずに戦い続ける兵士を作り出すことを目的とした旧ソ連によるスーパーソルジャー育成プログラムだ。5人の政治犯が選ばれて実験が開始され、30日間一睡もしないまま過ごすことができたら釈放するという簡単かつ過酷で残酷な条件の下で行われた。9日後に2人が大声で叫び始め、声帯を潰してしまった。15日目に実験が突然中断された。囚人が1人死亡し、他の囚人たちがひどい自傷行為に出て、常人とは思えない力を見せる者もいた。この話もいわゆる「Creepypasta」のひとつであり、オンライン・ホラーコミュニティー内で最も有名で最も早く広く拡散したネットロアとして知られている。1940年代後半に旧ソ連の研究者によって行われたとされる非人道的実験についての論文があるという体で進むこの話も、もちろん完全なフィクションだ。

被験者となった5人の政治犯は密閉されたガス室に入れられ、連続30日間の覚醒状態維持を達成するため、覚せい剤を投与され続けた。実験開始当初、被験者たちはごく普通にお互いに言葉をかけ合ったり、マイクを通して研究者に話しかけたりして過ごしていた。しかし時間の経過と共に、態度が著しく悪化し始める。実験の報告書には、パラノイア的行動や絶え間のない叫び声、自傷行為、そして果てしない沈黙に至るまで、人間が完全に狂気を発生するまでの過程がつぶさに記録されている。生き残った被験者は、眠るというごく当たり前の行いを忘れてしまい、目を覚ましていることが生きることにつながると思い込んでいる状態にあった。研究者たちはなんとかして彼を眠らせようとしたが、超人的な力で抵抗し続けた。

激しくもみ合っているうちに自分の筋肉を引き裂き、あるいは指を噛み切ってそこから骨をえぐり出す者もいた。危険を感じ、部屋から逃げ出した科学者たちは、マイクを使って囚人たちと話をすることにした。なぜここまで激しく抵抗するのか訊ねると、彼らは声を揃え「起きていなければならないからだ」と答えたという。

この状況になっては仕方がない。科学者たちは生き残っている囚人たちを全員殺害し、実験の痕跡をすべて消すことを望んだが、プロジェクトの責任者はさらに被験者の数を増やして人体実験を続けるよう指示した。この言葉に恐怖を感じた主任研究官は責任者を至近距離から射殺し、実験室に戻って生き残っていた二人の囚人を射殺した後、研究文書やプロジェクトの関連書類をすべて燃やしてしまった。

「ロシアン・スリーピング・エクスペリメント」はネットロアにすぎない。原話バージョンと思われるものがCreepypastaのサイトで発表されたのは、2010年8月だった。アップしたのは、オレンジソーダというハンドルネームのユーザーだった。一番優れた都市伝説を紡ぐことができるユーザーを決めるサイトで発表された物語はあっという間に拡散し、今日に至るまで多くの人々が真実であると信じ、一部のサイトでは画像付きで、証拠となる記録文書の内容にまで触れられている。

こうした恐ろしい物語を最初に読むと、内容が十分に現実的で、起承転結がしっかりしていると感じる人が多いようだ。ファンが多いCreepypastaではこういう空気が生まれやすく、物語がリアルに響くのだろう。さらに、ごく薄くではあるものの、テレビ番組や雑誌で知った睡眠に関する研究の記憶が蘇ることもあるかもしれない。「ロシアン・スリーピング・エクスペリメント」に関して言えば、半ば公然の事実として伝えられている1940年代のロシアの非人道的な人体実験、さらにはアメリカで行われたCIAの睡眠はく奪実験に関する一般的な知識とシンクロする面もあり、より真実に近いものとして響いたという見立てもある。こんな話があってもおかしくはないだろう。やっぱりあったのか。そんな感覚だ。

覚せい剤によって睡眠不足が原因の幻覚が生まれることは、主流派マスコミでも繰り返し伝えられている。実際に自分で調べて納得した情報を基にしなくても、ロシアで行われていた狂気の人体実験を史実として認識してしまうこともあるはずだ。

広く拡散し、いまだに生き残っている理由を挙げるなら、前述したように起承転結がしっかりした話であるという特徴が一番なのではないだろうか。多くの人たちが知るアーバン・フォークロアにもこうした特徴が不可欠だった。そして、この話を興味深く感じたのはCreepypastaのユーザーだけではなかった。

『Xファイル』のシーズン2の第4話に、「不眠」というエピソードがある。ベトナム戦争帰還者の連続殺人事件を追っていくうちに、アメリカ軍の特殊部隊の存在が浮上する。この部隊の兵士はロボトミー手術を受け、睡眠をとらなくても戦い続けることができるようになっていたというストーリーだった。「ロシアン・スリーピング・エクスペリメント」の作者は、この話にインスピレーションを受けたのではないだろうか。

ネットロアは、フェイクニュースに近いレベルで論じられるべきだ。最近、ネット上でそんな意見を目にするようになった。個人的には、これから先の時代に向けての正しい姿勢であると感じている。

CH6

陰謀論系ロアの章

いわゆる陰謀論がネットロアと化すと、
爆発的な拡散力を発揮する。今の時代は
陰謀論系ロアとフェイクニュースの境界線があやふやで、
ユーザーが知らず知らずのうちにフェイクニュースを
事実と認識してしまうようなパターンも珍しくない。
ユーザーの資質を見抜いた上で意図的に拡散される
フェイクニュースは、さらに増えていくだろう。

シャドー・ネットワーク：メールも閲覧記録もすべてモニターされている

シャドー・ネットワークという言葉は、一般的には中国を拠点とするサイバースパイ活動に対する総称的なタームとして使われることが多い。こうした活動はカナダのInformation Warfare Monitorと米国Shadowserver Foundationの研究者による共同調査の結果明らかになった。インド国内に設置されたサーバーから監視対象のコンピューターネットワークをモニターし、2010年の時点で作戦に使用されていた指揮統制サーバー網がいくつか特定されていた。

主な監視対象だったインド政府とダライ・ラマ法王のオフィスのコンピューター・システムは複数のマルウェア・ネットワークによって侵害されており、このうちひとつがシャドー・ネットワークにつながっていたことが明らかになっている。ただ、問題はこれだけでは終わらなかった。オーストラリアと南極を除くすべての大陸にあるコンピューターが侵害されていた事実が明らかにされたのだ。事実上、ネットでつながったすべての端末の内容を盗み出すことができる状況が生まれていたといえる。

実害としてまず挙げるべきなのは、インド政府が管理していた多数の文書だ。複数の州の防衛体制に対する機密安全保障評価、国土全域におけるミサイルシステムの報告書、中東・アフリカ・ロシアに対する国家としてのインドの立場と関係性の分析に関する書類もあった。ダライ・ラマ法王のオフィスからは、1000通以上の電子メールデータが盗み出されていた。

シャドー・ネットワークが行ったのは情報の盗み出しだけではない。一般ユーザーが多いSNSプラットフォームを経由したためXやGoogle、Baidu、blogspotがホストの役割を果たして結果的に多くの端末がマルウェアに感染してしまった。

シャドー・ネットワーク的なものに関する話は、コンピューターがここまで発達していなかった時代から語り継がれている。世の中の表の構造に裏側から影響を与える一部の人々からなるグループに対して、ネットワークという呼び方が使われていた。政財界そして産業界を支配し、一般人が知り得ないプロセスであるべき世界のコンセプトを作り、それを実現してきた人々だ。また、民主主義に脅威を与えるような政治思想の人々がひそかに構築しているネットワークを意味する言葉として使われたこともある。こうした使い方は90年代に入ってから事実上消えかかっていたが、1996年のアメリカ大統領選挙をきっかけに浮上したQアノンやディープステートといった新しいバズワードの最大公約数的な意味合いでも使われるようになっている。

こうした状況の中、シャドー・ネットワークのリアルな存在を感じさせる事件が起きたわけだ。正式な報告書に出てくる意味合いが一番大きいのだろうが、シャドー・ネットワークというのはハッキングやマルウェアの拡散など、コンピューター・テクノロジーの悪い部分だけに特化してさまざまな作戦を展開しているグループを意味する言葉として定着しつつある。最初の印象、そして現状としては中国関連の要素が盛り込まれることも多いかもしれないが、この解釈は限定的であるといわざるをえない。中国をカバーにしながら暗躍する他の国家のグループという定義もよく見かける。

実際の事件でも見られるように、そもそもターゲットは政府レベルのビッグデータだったとされていたが、最近は個人も含めた全サイバースペースにわたるモニタリングに使用されているという認識が普通だ。モニタリングだけではない。ここ数年で爆発的に性能が進化しているＡＩの急速な普及により、オペレーション全体の方向性が個人レベルのユーザーの意識を変えていく過程に変わりつつあるとする説がある。

ＡＩを日常的に使う人たちをメインターゲットにして、サイバースペースを最先端のソーシャルエンジニアリングのプラットフォームにしてしまおうという計画が進められている。その中核に据えられているのがシャドー・ネットワークであるというのだ。世論を意図的にひとつの方向に導いていくことを目的に行われるソーシャルエンジニアリングのプロセスを主導するのは最新型AIなのか、昔から存在し続けていたグローバル・エリートと呼ばれる人たちなのかはわからない。ただ、インターネットに接続可能な端末を日常的に使っている人たち――つまり現代人のほぼ全員――は、無意識のまま他人が導く思想に乗せられてしまう可能性があるということになる。

さらに一歩踏み込んで、SNSがシャドー・ネットワークの主な活動の場となっているという話が生まれ、そういう方向性のネットロアが主流になりつつある。シャドー・ネットワークとSNSの掛け算が意味するものは特定の選挙への影響、特定の国家間における緊張や不特定多数に向けた特定のトレンドの創出だ。スマホを使っているだけで、知らず知らずのうちにシャドー・ネットワークの意図に乗せられてしまうのだ。

言葉だけのイメージで考えれば、サイバー犯罪を真っ先に思い浮かべる人が多いかもしれない。しかし実際は2024年のアメリカ大統領選挙、ウクライナ侵攻やパレスチナ・イスラエル戦争など、ネットロアでは、シャドー・ネットワークと現実世界のリンクがリアルな実例を通して語られる。

ピザゲート：政財界を揺るがす恐怖の事実の記録

「ピザゲート」は、2016年のアメリカ大統領選挙期間中に浮上したネットロアだ。民主党全国委員会のアカウントがハッキングされ、ここでやりとりされていた電子メールがウィキリークスで公開されてしまった。4chan、Reddit、Twitter（現X）などのさまざまなオンラインプラットフォームのユーザーが電子メール、特にヒラリー・クリントンの大統領選挙対策委員長だったジョン・ポデスタに関連するメールの内容が誤解されたり、悪意に基づいて曲解されたりという形でフェイクニュースとなって拡散した。

民主党の大物議員数人と数か所のレストラン――特にワシントンDCのコメット・ピンポン・ピザ――が国際的な児童人身売買と小児性愛組織に深く関与していることを訴えるピザゲート陰謀論は完全に誤っているが、一部の人々から根強く支持されている。支持者は、民主党の議員たちが違法行為について話すために女の子なら〝ピザ〟、男の子なら〝パスタ〟という隠語を使っていたと主張した。こうしたディテールのイメージがフェイクニュースサイトやソーシャルメディアによって蓄積され、増幅され、広く拡散すると同時にハードビリーバーの数が増えていったのだろう。

なぜ子供たちが狙われたのか。それは、ごく一部の〝エリート層〟――NWO＝新世界秩序であれ、アメリカ連邦政府内で密かに活動しているディープステートであれ——のメンバーが、若返りの秘薬であるアドレノクロムを採取するためだ。

アドレノクロムというのは脳内麻薬成分の一種で、アドレナリンの酸化によって形成される。これが一番豊富な場所は幼児の松果体とされている。大量に採取するためには、多くの幼児を犠牲にするしかない。アドレノクロムが若返りの薬であると言い出したのはQアノンだ。民主党政権を陰から操るディープステートからアメリカを解放する自由の戦士であるトランプ元大統領の熱狂的な支持者である彼らは、ピザゲートだけではなく、ありとあらゆる手段でバイデン大統領の当選を無効にしようと試みた。

さらには、イギリス王室関係者までが巻き込まれた幼児性愛ネットワークに関する情報もリークされている。この話は児童への性的暴行で逮捕されたアメリカの富豪ジェフリー・エプスタインまでつながる。２０１９年8月10日に獄死した彼は、誘拐した子どもたちを幽閉しておくための施設を所有する島の中に作ったといわれている。

所有していたマンハッタンの邸宅内部の映像が公開され、こちらも話題になった。

２０１６年12月には、ノースカロライナ州出身のエドガー・マディソン・ウェルチという男性がAR‐15型ライフルを携えてコメット・ピンポン・ピザを訪れ、「自分で調査するために来た」と主張して発砲事件を起こした。ピザゲートは一部のネットユーザーには事実以外の何物でもないということで認識されていたようだ。

この事件によって、オンライン陰謀論という新しいボキャブラリーが生まれた。既存の陰謀論がネットトロア化して拡散するのではなく、ネット由来の情報から生まれたネットトロアが現実世界に影響を及ぼすまでに進化したパターンというニュアンスがもたされたのだろう。

銃乱射事件まで起きたピザゲートは、フェイクニュースと陰謀論という致命的なコンビネーションがオンライン経由で拡散する過程と結果を見せつけることになった。主流派マスコミの見解はそういう方向性で一致している。そしてその爪痕は今も残っていて、誤情報のインパクト、デジタルリテラシー、虚偽の拡散とソーシャルメディア・プラットフォームの役割というさまざまな要素をはらみながら議論が続けられている。

いずれにせよ、「ピザゲート」によって、フェイクニュースや陰謀論を意図的に載せて拡散させるエフェクターを思わせるネットの力が改めて明らかになったことは間違いない。もうひとついえるのは、批判的な思考とリテラシーを身に付けるのは、ユーザーの責任においてなされるべきことである事実がはっきり示されたことだ。

2024年11月に行われる第60回アメリカ大統領選挙を前に、かなりの痛手を経験した民主党はもちろん共和党も、フェイクニュースと陰謀論を組み合わせたピザゲート的な状況の発生に神経をとがらせているようだ。2016年以降デジタル／インターネット・テクノロジーは急速に発展しており、それに加えて今回の選挙戦にはAIというまったく新しい要素が深く関わることは間違いない。ディープフェイクも多用されることが容易に想像できる。投票行動を決定づけるのはデジタル戦略だ。そういう意味でも、ピザゲート事件は想像以上のインパクトをもたらしたといっていい。

今でこそ完全な、そして作られた陰謀論だったというコンセンサスができているが、よく似たことが二度と起きないと断言できる人はいないだろう。コロンビア特別区警視庁やFBI当局は、ピザゲートの誤りを徹底的に暴き、コメット・ピンポン・ピザと児童買春組織の関係にまつわる主張を裏付ける証拠は何もなかったと述べた。ただ、ネット最深部で進んでいるストーリーはまったく違う。ピザゲートは、単なるネットロアとして片付けられないレベルの話なのかもしれないのだ。

プロジェクト・クロノス：過去に飛ぶテクノロジーは実現している？

タイムトラベルは、いつの時代も人類共通の憧れであり続けている。少し前のネットロア「未来人ジョン・タイター」もそうだし、TikTokやインスタグラムでも映像を媒体に未来人が語る未来の話が、トレンドというよりも新しいジャンルとして確立しているのが事実ではないだろうか。

この項目で紹介するのは、アーバン・フォークロアとして拡散した話のストーリーラインやモチーフがそのまま活かされる形でネットロア化し、定番として認識されるに至ったものだ。モチーフとなるのは、ローマ法王庁の超科学プロジェクトとそれによって開発されたクロノバイザーという時間逆行装置、そしてクロノバイザー・テクノロジーを発展させていくことを目的とする「プロジェクト・クロノス」という極秘計画だ。

話は、1950年代のローマ法王庁で進められていた極秘プロジェクトから始まる。法王庁が管理する大金庫には数々の歴史文書やロンギヌスの槍など本物の聖遺物が保管されているというアーバン・フォークロアもあるが、クロノバイザーもこうした所蔵物のひとつといわれている。そもそもクロノバイザーは、ローマ法王ピウス12世の命令によってバチカン市国が開発をスタートした時間逆行装置だったといわれている。ここまでの流れはアーバン・フォークロアとして伝えられている話だ。

『The Vatican's New Mystery』（2002年刊）という本の著者でフランス人司祭／超常現象リサーチャーのフランソワ・ブリュンは、クロノバイザーが過去の出来事を体験できる装置で、バチカンのローマ法王庁によって管理されていたと記している。

これを作ったのは、イタリア人科学者／聖職者で、エクソシストでもあったペレグリーノ・アルフレド・マリア・エルネッティ神父（1925～1994）がリーダーとなり、1950年代に組織された13人の世界的に有名な科学者から成るタスクグループだったという。

エルネッティ神父はブリュンに対し、「時間旅行を可能にする機械によって、聖書の解釈が根本的に変わることになるかもしれない」と語ったという。過去を明らかにする機能がある――つまり時間を逆行する能力を備えた――クロノバイザー開発に取り組んでいたチームには、1938年度ノーベル物理学賞受賞者のエンリコ・フェルミ、元ナチスの科学者ヴェルナー・フォン・ブラウンも名を連ねていたらしい。

1994年に亡くなるまで、エルネッティ神父はローマ法王庁が主導してクロノバイザーの存在を隠していると主張し続けていた。しかし時間逆行装置の存在さえ怪しい話なのに、それがすでに開発され、バチカンのどこかに隠されているという主張がそのまま受け容れられるわけがない。ローマ法王庁も、1988年に「クロノバイザーと呼ばれているもの、または同じ性質の機械に手を触れた者は、例外なく除名処分とする」という公式声明を発表している。ローマ法王庁も最初はエルネッティ神父の主張は根も葉もないとしていたが、最終的には公式発表で機械の存在をほのめかすようなコメントを出したのだ。後になって、これがバチカンによるクロノバイザー肯定発言だったという文脈でネットロアに盛り込まれることになる。

長年の親交があったブリュンは、死の直前のエルネッティ神父から「バチカンで開催された会議にクロノバイザー開発に加わった科学者が集まり、討議の結果装置が解体された」事実を伝えられたという。エルネッティ神父もまた、次のような内容の公開書簡で自分なりの真実を訴えた。「われわれは、ローマ法王によってクロノバイザーに関する一切の情報を公開することを禁じられた。非常に危険な機械であるからだ。人の自由を制限してしまう可能性も否めない」

プロジェクト・クロノスは、こうした背景から生まれたネットロアだ。エルネッティ神父はローマ法王の命令で、元ナチスの科学者の助けを借りながらクロノバイザーを開発しており、完成品はバチカンが保管していた。もちろん、この装置について知るものはほとんどいなかった。しかし、エルネッティ神父が分解されたと信じ込んでいた装置は、実はそのままの状態で保管されており、神父の死後密かに持ち出され、今も誰かが持っている。さらに研究が進んで、少なくとも過去方向への時間旅行は実現しているかもしれない。ローマ法王庁が出した1988年の公式見解からすでに30年以上が経過している。今は時間軸のどちらの方向にも動けるテクノロジーが確立されているのではないか。それを暗に示しているのが、2020年代に入ってから特に多くなった未来からの来訪者というテーマの書き込みや映像・画像のアップなのではないか。

プロジェクト・クロノスは、政府――語られる国によって変わる――による極秘プロジェクトで、クロノバイザー・テクノロジーを実用化した時間旅行実現装置に関するネットロアなのだ。時間旅行は成功しているが、これを実現するためのテクノロジーや知識はごく限られた人間しか知らない。時間旅行というロマンチックで響きのよいモチーフで進むプロジェクト・クロノスに関する物語は、タイムトラベラーがアップする画像や映像が豊富で、昔も今も魅了される人が多いのだ。

人類はシミュレーション世界に生きている：バーチャルこそがリアルな時代の到来

1999年に第1作が公開されたハリウッド映画『マトリックス』シリーズでは、AIが自我を有する機械を創出し、巨大仮想現実システム＝マトリックスに人類を閉じ込め、動力源としてだけ利用している世界が描かれる。キアヌ・リーブスが演じる主人公ネオは、仲間たちと人類をマトリックスから解放するため激しい戦いを展開する。

バーチャル・リアリティ（VR）という言葉は聞き慣れた感があるが、バーチャル・ユニバースはどうだろうか。バーチャルな森羅万象という響きの、まさにマトリックスの世界を意味するものなのだ。物理的な世界の一部をコピーしたり、機械を通してユーザーに没入型の世界を体験させたりするデジタル・シミュレーション環境を創出するテクノロジーは、すでにゴーグル型のゲーム機にも搭載されている。

アプリケーションの範囲はエンターテインメントだけではない。バーチャル・リアリティやオーグメンテッド・リアリティ（AR）の概念は、研究・教育分野にも応用できる複雑なシミュレーションまで幅広い用途が考えられる。そのVRとARをインターネットと融合させたのが、こちらも一部のゲームのオペレーションシステムの核として実現しているメタバースだ。集合的仮想共有スペースという言い方もある。

最新テクノロジーと陰謀論をからめたネットロアの歴史は長く、機械が人間を支配するというディストピア的な未来について語る話も同じように多い。メタバースを体感できるゴーグル型のゲーム機に関しても、たとえば価格を軸にして考えれば、まったく手が届かないというレベルではない。

こうした実情が反映されているのか、最近は急激に広まっているメタバースの概念と、それを実現できるハードの普及こそがマトリックス的世界完成への大きなステップであるという話をさまざまな媒体でよく見聞きするようになった。「それが事実ではない」という対抗神話的なロアもある。しばらく前から、人類はすでにシミュレーション世界に組み込まれたデータの小さな断片に過ぎないというのだ。

今この瞬間、自分がいる空間が現実であることを客観的に確認する方法はない。自分の主観で現実であると思い込んでいるにすぎないかもしれない。「この世界は巨大なシミュレーションである」というネットロアは、このあたりから始まる。

『マトリックス』第一作のネオは、現実世界では自分が脳に電極をつながれ、培養カプセルの中でじっとしているだけの存在であることを知る。現実世界では自分が脳に電極をつながれ、培養カプセルの中でじっとしているだけの存在であることを知る。

現実だと思っていたものは、コンピューターが創り出した仮想現実が脳内に投影されたものにすぎなかった。

仮想現実を意味する言葉として、最近は〝バーチャル・リアリティ〟ではなく、〝SR＝シミュレーテッド・リアリティ〟が使われているらしい。どちらであれ、このままの速度で進化が続いていけば、遅かれ早かれ、人間はコンピューターが創り出したシミュレーションを現実と思い込んでしまうかもしれない。ネオが事実を知って愕然とした瞬間は、いつでも誰にでも訪れる可能性があるというのだ。

ただ、この種のネットロアを語る人たちすべてがハードビリーバーというわけでは決してない。例えて言うなら、書き手が次々と変わりながら物語が進んでいく共作小説のように、多くのユーザーがさまざまな掲示板を舞台にして巨大な物語を綴っているような状況が続いている。こうした拡散のメカニズムは、まさに新時代のネットロアという形容がふさわしいのではないだろうか。

イーロン・マスク氏が共同創業したニューラリンクという会社は脳とコンピューターをつなぐ「ブレイン・コンピューター・インターフェイス」というテクノロジーに特化しており、技術的には思考や記憶、感情までクラウドにアップロードすることも可能なところまで来ているらしい。マスク氏は、かつて次のように語っている。「今の人類がコンピューター・シミュレーションの中で生きている可能性はきわめて高いと言わざるを得ない」

シミュレーテッド・リアリティ理論研究の最先端にいるノースカロライナ大学のジュリアン・キースとカリー・グイン両教授は、次のように語る。「大規模なシステムには誤作動や不具合がつきものだ。初めて稼働してからプログラム通りに動き続けるシステムなど存在しないだろう。われわれがコンピューター・シミュレーションの中で生きている可能性を示す現象として、デジャヴや心霊現象、超能力、そして偶然という言葉で形容される出来事が挙げられるかもしれない」

名のある起業家や専門家の生の言葉がネットロアの燃料となることはいうまでもない。そして、拡散のプロセスでさまざまな曲解が生まれ、新しい要素として盛り込まれていくことも十分考えられる。

アーバン・フォークロアは、誰かの体験談として語られるものだった。しかしこの項目で紹介した話は、「現実を知った誰か」についてのものではない。多くの人が参加しながら綴られていく未完のメタナラティブの着地点はまだわからない。

プロジェクト・ブルービーム：最新テクノロジーを使った全人類洗脳計画

インターネットを媒体として拡散するネットロアは、シケイダ3301（132頁参照）を見てもわかるように、ひときわスケールが大きな話になりがちだ。これは、資料として大量の画像や映像――フェイクであることが多いのだが――を盛り込むことができるからにほかならない。画像データには、実在する政府プロジェクトに関する書類や、アメリカ国立公文書館に保管されている記録文書のリンクが貼られていたりする。口伝で拡散していたアーバン・フォークロアが定着するまでの時間と比べると、はるかに短い時間枠の中で〝信じられる話〟としての素地が出来上がるし、浸透の速度も圧倒的に早い。この項目では、こうしたネットロアの特徴点をすべて兼ね備えているといっていいプロジェクト・ブルービームという陰謀論系ネットロアを紹介する。

この話は、アンチクライスト（反キリスト主義者）が指導する新しい時代の宗教を実践しようとする動きがあるというストーリーラインが基本になっている。その動きがどんなものになるにせよ、キリスト教をはじめとする世界三大宗教の信者の価値観と信念体系を一瞬で崩壊させるほどのインパクトが必要になる。

イエス・キリストや預言者ムハンマドが人々の前に姿を現わし、「私の考え方は間違っていた」などと語りかけたらどうなるだろうか。聖人たちが目の前で真実を語り、自分たちに代わる真のスピリチュアル・リーダーを紹介する。現時点で語られている話では、それがグレイ型エイリアンやレプタリアン（爬虫類型エイリアン）であるといわれている。聖人の姿もエイリアンの姿も、精巧に作られた立体ホログラム映像なのだ。そしてこの立体ホログラム映像を実現するのがブルービームと呼ばれるテクノロジーであり、開発の中核を担っているのがＮＡＳＡであるという。

そもそものはじまりはセルジュ・モナストというカナダ人ジャーナリストが１９９４年に発表した持論だった。彼は具体的な証拠や論拠を一切示さないまま、勢いだけで発信し続けた。主張は推測的で検討不可能な要素ばかりだったが、モナストの理論は一部の陰謀論コミュニティから圧倒的な支持を受け、今も勢いを失っていない。

プロジェクト・ブルービームはいくつかの段階に分けられ、時間をかけて進められる。それぞれの段階に共通する目的は、一般大衆の認識と意識の操作だ。最初の段階は〝偽の事実〟を作ることだ。契約の箱などの聖遺物の発見を捏造し、その価値をあえて貶《おとし》める。これと併せ、宗教的に大きな意味を持つ土地で地震や水害など大きな天災を起こす。一連の出来事を通してキリスト教とイスラム教、そしてユダヤ教の教えが何世紀にもわたって誤解され曲解されてきたことを示し、信仰心を損なっていく。

第2段階では、新しい宗教的信念を植えつけるために前出のホログラム映像が用いられる。これまでの宗教体系で活かされる部分は、終末予言的な要素だけだ。キリスト教でいうドゥームズデイ＝最後の審判の日の概念に直結する立体映像が空いっぱいに映し出され、強烈なインパクトがもたらされる。

第3段階では極低周波を使って脳に直接メッセージを送り、偽テレパシー交信が実現される。これは、神格が魂の底から語りかけているという感覚を生み出すために行われる。第2段階で姿を直接見ていることもあり、効果は絶大になるはずだ。この段階で、従来の宗教的信念を拒否するよう説得が行われる。

最終段階では、世界中の主要都市でエイリアンの侵略が始まっているということを知らせ、エイリアンこそが本当の古代の神であると信じ込ませる必要がある。こうした状況の中で生まれる混乱と恐怖の中、それまで信心深かった人ほど新しい信念体系を受け入れやすくなる。やがて、新しい時代の秩序が出来上がっていく。

プロジェクト・ブルービームには、技術的に実現不可能な部分もあり、もちろんNASAがこうした計画に関与していることも証明されていない。ただ、一部のハードビリーバー層に刺さってしまった。ハードビリーバー層の陰謀論者たちは、大規模マインドコントロールに先端テクノロジーを盛り込んだ話が大好きなのだ。

やがて、プロジェクト・ブルービームは大衆心理を意図的に操作し、全体主義的な性格の新しい世界政府を樹立するためのグローバル・エリートによる計画であるというコンセプトが定着した。バリエーションとして、新世界秩序であるとかワールド・ガバメント、ワン・ワールドといった陰謀論的なワードがちりばめられるようになっている。

発火点となったモナストは1996年に亡くなっているが、プロジェクト・ブルービームはネット上で今も生き続けている。プロジェクトの中核を担う主役となる組織もさまざま変わりながら、さまざまな新しいバージョンが生まれた。

さらにいうなら、モナストがまだ生きているという説もある。陰謀論的なネットロアを強力にプロモートする役を与えられていた彼は、任務を終えた後、新世界秩序の保護の下で世界各地のリゾートを転々としながら何不自由なく暮らしているというのだ。プロジェクト・ブルービームという響きのよいパワーワードのおかげで、まったくちがう方向の派生バージョンの数々も進化を続けている。

CH9
進化し続けるネットトロアの章

アーバン・フォークロアは、〝受け容れられやすく
信じられやすい〟話になるため、拡散の過程で自ら細部に
変化を起こしながら進化していくようなところがあった。
デジタル要素で占められるスペースへの住み替えを経て
ネットロアになった話は、今も進化を続けている。
拡散のスピードが格段に上がっている今、
進化のスピードも確実に上がっている。

911その後：主流派マスコミが報道する“事実”は“真実”ではない

発生から23年が経過しようとしているアメリカ同時多発テロ事件。ただ、事件そのもののインパクトが忘れられてしまうことも、ネットロアの進化が止まることもないようだ。多くの人々によって共有されながら、聞いていて無理を感じない話になるために今も内容が微妙に変化し続けているのも大きな特徴といえる。事件の背景に関するオフィシャルな見解に対する好奇心や疑念から生まれ、陰謀論やフェイクニュースと形容するのがふさわしいものに変容していく場合が多い。

陰謀論的な内容のネットロアは、事件発生直後から現在に至る23年間で数限りないほど語られている。内容としては、世界貿易センタービルがコントロールド・ディモリッション（意図的にビルを破壊するときに使われる限定的破壊）によって崩壊したという主張から、攻撃直前の時点における株式市場でのインサイダー取引が本当の原因だったのではないかという疑念、そしてペンタゴンの建物はアメリカン航空77便ではなく、ミサイルによって大きな損傷を受けたという説などがある。

結果的に無視されることになってしまった諜報機関の警告、事件発生以前の時点で拡散していたマスコミやネット上での不可解なメッセージなど、予兆にフォーカスした内容の話も多くある。このジャンルの話の背景にあるのは、攻撃事態に関する具体的な知識があったにもかかわらず発生を止めることができなかったという悔恨の感情、十分な情報があったにもかかわらず具体的な行動に出なかった公式機関に対する憤り、そして事件そのものが一部の公式機関による自作自演だった可能性だ。

９１１ネットロアとしては、むしろマイナーなジャンルの話も紹介しておこう。多くの犠牲者が出たグラウンド・ゼロに現れる幽霊であるとか、航空機の直撃を受けたオフィスから逃げている途中に、すでに亡くなっていた同僚から助けられた話であるとか、超自然的な現象をモチーフにしたものなど、陰謀論とはまったく異なるトーンで語られる話もある。不思議な現象にまつわる事実が淡々と綴られるスタイルの話のほうが、派手で攻撃的な陰謀論よりも記憶に残りやすいかもしれない。

こうしたジャンルの話には、事故現場での英雄的な行動や悲劇的な出来事、心温まるエピソードなどが含まれるが、ほとんどは事実が誇張されているか完全な捏造だ。最近は、実在しない人の画像を生成してくれるサービスもあるので、こうしたサイトで実在しない人の画像を調達し、９１１当日の感動的な物語を捏造して体験談として拡散させるというやり方も目立つようになった。

余談になるが、よく似た手口が令和６年能登半島地震の際も多発した。具体的な住所と共に「閉じ込められて動けない」といったコメントを上げ、閲覧数を上げて拡散させる。しかし発信元のアカウントを追っていくと、日本とはまったく関係のない西アフリカの国にたどり着いたりする例があった。

あまたある911ロアの進化は、ストーリーが迅速にシェアされ、修正され、脚色されることが可能なオンラインコミュニケーションによって支えられながらいまだに拡散のスピードを上げている。忘れるべきではない事件がいつまでも語り継がれるということはポジティブなことなのだろうが、前述のとおり、その背後におどろおどろしい事実が見え隠れしていることも忘れてはならないだろう。ここで、中でも特に生存期間が長いものを紹介しておく。

＊ツインタワーと第7ビルに対するコントロールド・ディモリッション説

先に触れた陰謀論系ロアで、合計3つの建物の倒壊が飛行機の激突やその後に発生した火災ではなく、意図的な方法にのっとって行われた〝取り壊し〟によって倒壊したという話。この説を信奉する人々は倒壊の際の奇妙な現象と、がれきの中から見つかった特定の物質の存在を論拠としている。

＊国防総省ミサイル理論

ペンタゴンへの攻撃に使われたのはアメリカン航空77便の機体（ボーイング757型機）ではなく、ミサイルだったとする説。ペンタゴンの建物に残された損傷の規模と形状、そして現場で大型航空機の破片が見つからないことを主張している。また、施設内の監視カメラが事故発生の瞬間をとらえていたはずなのに、その種の映像がまったく公開されていないとしている。

＊イスラエルの関与説

イスラエルの工作員が攻撃を予期していたか、あるいは自ら関与していたことを示唆するものもある。世界貿易センタービルが崩壊するところを撮影していたイスラエル人グループがいたことは事実だが、これが拡大解釈され、曲解されたものと考えられる。このグループが事件直後に逮捕され、しばらくして釈放された――この部分が虚実――ことが論拠として挙げられることが多い。

どんなジャンルのネットロアにもいえることだが、ネット上の情報すべてを信じるのではなく、批判的思考と懐疑心を忘れないことが大切だ。特に陰謀系の話では、フェイクニュース的な知識の拡散が事実を歪曲し、真実の理解を曖昧にして、偽の記憶さえいとも簡単に生み出してしまう。

ディアー・デイビッド：有名クリエイターが語る夢うつつの世界

多くのユーザーに名前を知られている、インフルエンサー的な人物が積極的に関わることによって、世界レベルで知られるようになる話がある。この項目で紹介する「ディアー・デイビッド」は、そういうパターンのネットロアの典型的な例といえるだろう。

この話は、某有名サイトのライター兼イラストレーターだったアダム・エリス氏による一連のツイートに端を発した有名な話として知られている。ストーリー性が秀逸だったため、すぐにソーシャルメディアユーザーの心を掴み、急速に拡散した。

エリス氏がデイビッドという名前の少年が出てくる度重なる悪夢について「Twitter（現X）上で詳しく語り始めたのは、2017年8月だった。エリス氏としては、現在進行形で体験している奇妙な出来事のためもやもやしている頭の中を整理することが第一の目的だった。エリス氏がアップした文章によれば、彼が住むニューヨーク・シティーのマンションで始まった一連の出来事がきっかけだった。ごく普通の日常生活の中、ふとした瞬間に重苦しい空気を感じたり、物がひとりでに動いたり、飼い猫が妙な行動を見せたりするようになったのだ。しかし、話の核はなんといっても彼が夢の中で頻繁に会うようになった少年だった。生きているのか幽霊なのかわからない

〝頭がどこかいびつな形をしている〟この男の子とのやりとりが書き込みの中心的な部分で、エリス氏はこの子を「親愛なるデイビッド」と呼んでいた。デイビッドは2つまでならどんな質問にも答えてくれる。しかしうっかり3つ目を尋ねてしまうと、危害を加えられてしまう。

エリス氏がアップするのは文章だけではなかった。デイビッドとの夢の中での会話の最新情報に画像や映像、音声データまで盛り込みながら、現在進行形のリアル・ゴーストストーリーが綴られていった。また、降霊術まで含むさまざまな方法でデイビッドとコンタクトを取ろうとする様子が詳しく語られて、ユーザーとシェアできる部分がとても多かったといえる。

この話の第一の特徴として挙げるべきなのは、ソーシャルメディアの双方向性と拡散性、そして伝統的な怪談の要素の組み合わせにほかならない。そういう意味で、きわめて現代的なネットロアの例として際立っている。SNSを媒体にしてプライベートな体験を多くのフォロワーたちと共有し、現実とフィクションの境界線を曖昧にしながら、今流行のイマーシブ（没入）な形で展開していった。デジタル時代ならではの新しい形のストーリーテリングと、昔ながらの怪談の魅力というかけ算には想像以上のインパクトがあったようだ。

エリス氏のツイートは数カ月にわたってアップし続けられた。フォロワーの数も増加し続けた。最新情報がアップされるたびにフォロワーの間でさまざまな方向性の議論が生まれ、ビリーバーもスケプティックもまったく同じ熱量で現象の信ぴょう性について語るようになった。やがて、偽ドキュメント説からクリエイターによる作品説、本物の霊体験説というようにそれぞれのフォロワーが自らの立場を明らかにした。

エリス氏がデイビッドとの体験について明らかにすればそれだけ、より奇妙な現象が起きるようになった。ネット上の他の怪談と異なり、エリス氏は自分の経験をカタログ化することで、読む人たちが自分にとっても現実であると感じられるほど説得力のある、忘れられない体験を構築することに成功し、それが少し変わった形態のネットロアとして認識されたということなのだろう。

「ディアー・デイビッド」が事実であろうとフェイクドキュメンタリーであろうと、多くのユーザーに浸透する力があったことは疑いようのない事実だ。リアルに悩んでいた憑依現象がフォロワーによってシェアされるネットロアというのも珍しい。その状況は、まるで一部の人々――一部といっても絶対数はかなりのものだったが――にとってネット全体が巨大なミディアム＝霊媒のような機能を果たしたという見方もあった。

2018年1月、エリス氏はフリーランスとしてのキャリアを始めることをフォロワーに知らせる最新情報をアップした。仕事と「ディアー・デイビッド」のスレッド管理を両立することが難しいと感じ始めていたようだ。ツイートの言葉遣いは楽観的だった。これを機に、スレッドの動きが著しく鈍化した。ただ、実際はそれほど心配する必要はなかったようだ。フリーになった後も順調にキャリアアップし、アーティストとして成功し、ソーシャルメディアでさらに多くのフォロワーを獲得することに成功した。また、ダークファンタジー系の小説も出版した。

「ディアー・デイビッド」は映画化され、新しいタイプのドキュメンタリーとして2023年に公開されている。怪奇現象の実体験をソーシャルメディアでシェアし、現在進行形のドキュメンタリーを映像や音声を盛り込みながら書き続け、それが映画にもなった。これから先の時代、ネットロアはこういう進化の仕方が普通になるのかもしれない。

ノックアウト・ゲーム：主流派マスコミが生んだネットロア

「ノックアウト・ゲーム」は、キャラ系ネットロアの章で紹介している「クリーピー・クラウン現象」と構造が似ているといえるかもしれない。現象が先立って話題になり、ネットロアが後づけのような形で追いかけた。

厳密にいえば、ネットロアとして呼ぶべきかについても意見が分かれるかもしれない。２０１０年のアメリカで特に目立ち、主流派マスコミからも注目された現象だ。ごく簡単に説明するなら、人通りの多い場所に行ってターゲットを探し、忍び寄って頭を殴り、一撃でノックアウトするという犯罪だ。倒れたときに完全に気絶していたら成功。被害者の意識が残っている場合も、そのまま逃げる。犯行を最初から映像に残しておいて、それを仲間と共有したり、出来がいいものはソーシャルメディアにアップしたりする。一連の流れがここで帰結するため、「ノックアウト・ゲーム」に関する映像はかなりの数が存在するといわれていた。

ただ、最初から「ノックアウト・ゲーム」という言葉が実際の現象とリンクしながら浸透していたわけではない。ジェネレーションZでの危険な傾向という体で報じられるときのニュース用語として使われ始めたものだ。主流派マスコミでも取り上げられることが増えるにつれ、全米各地で犯行の数が多くなり、ネットにアップされる映像の絶対量も増えていった。こうした状況の中で「ノックアウト・ゲーム」が社会現象化し、メディアはブームを煽るように過熱気味の報道を続けた。

ネットユーザーの中には事態を冷静に見守る人たちもいた。彼らは独自の調査を行い、現象自体が報道されているほど広範囲に起きているものではなく、主流派メディアがよく似た個別の事件をコンピレーションのような形でまとめ、あたかもジェネレーションZのトレンドであるかのように報じたのではないかという解釈も生まれた。

事件が起きたとされる地域の警察機構、あるいはFBIの一部も状況に反応して初動捜査めいたものを実施して、実行犯が特定できた場合は逮捕し、暴行罪で起訴した。しかし犯人がネット上で流行しているゲームを理由に犯行に及んだという動機を示す資料は見つかっていない。

このネットロアをめぐる議論は、犯罪報道のありかたや若年層の行動に対するソーシャルメディアの影響、そして世論が構築される上で大きな影響を与える各種メディアの姿勢など、さまざまな種類の要素が盛り込まれながら行われた。

「ノックアウト・ゲーム」はもっと注目されるべきで、各地の警察機構の積極的な介入が必要であると思う人たちがいる一方、孤立した事件が必要以上にクローズアップされているにすぎず、現実が正確に反映されない事実を問題視する意見もあった。

ということは、ネットロアとして紡がれる要素は事実として存在したが、まったく関係のない複数の事実をつなぎ合わせて現代サブカルチャーの枠組みの中でのメタ・ナラティブ的なものとして認識してしまったということになるのだろうか。厳密な意味でネットロアと呼ぶことはできないが、多くの人々が無意識のうちにきわめてネットロア的な現象を生み出してしまった。本質はそんな構造で説明できるのかもしれない。

ネットロアという文脈でもう一度考えてみる。「ノックアウト・ゲーム」は無作為・無差別の暴力と、特にジェネレーションZに属性のあるサブカルチャー的な要素、ネットの拡散力に対する漠然とした不安感が反映されたものだったという意見がある。

ただ、被害者となった60歳の女性が死亡したことを事実として報じた新聞記事があった。ニュースリテラシーを意識するユーザーたちが自発的に、そして同時多発的にこのニュースの裏をとるための作業に当たったが、警察の公式報告を含め、この記事が事実であることを示す証拠は見つからなかった。さらにその過程で、「ノックアウト・ゲーム」に関して死者が出たことはない事実も明らかにされている。

という流れで話は終息しかけていたはずなのだが、パンデミック後に新しい方向性のノックアウト・ゲーム・ロアが語られるようになった。今度の犠牲者は外国人、とくに東洋系の人たちだった。ニューヨークの大通りを歩いているときにいきなり黒人男性に殴られたり、パレスチナのNGO団体に勤務する日本人女性が現地の若い女性から暴言を浴びせられたり、治安がよいとされているカリフォルニア州のオレンジカウンティにある公園でトレーニングしていた日系女子柔道選手がハラスメントを受けたりしている場面がネット上でも主流派マスコミでもさかんに流れたことがある。

こうした映像が、約10年前の「ノックアウト・ゲーム」のイメージと直結したのだろう。新ノックアウト・ゲームのターゲットは東洋系の住民や旅行者であるというコンセンサスができあがり始めた。その後、ニューヨークで移民の少年の集団が警察官に暴行を加えるビデオが公表され、一部の移民の間でアメリカ人をターゲットにしたノックアウト・ゲームが流行し始めているというフェイクニュースも広く拡散している。ネットロアは、アーバン・フォークロアよりもはるかに早く拡散する。それだけではない。映像という新しい要素も、長く生き続けるだろう。

マンデラ効果の現在位置：偽記憶と刷り込み技術の境界線

マンデラ効果とは、多くの人々が「実際には起きなかった出来事」に対する明確な記憶を有している状態、あるいは重要な出来事や事実を明らかに間違った形で記憶している状態を意味する。転じて、世界レベルで多くの人々がFalse Memory＝虚偽記憶を常識や史実として受け容れている状況を説明する際の最大公約数的な意味合いのワードとしても使われる。こう言うと驚かれるかもしれないが、南アフリカの元大統領ネルソン・マンデラ氏が１９８０年代に獄死したと〝明確に〟記憶している人は意外に多い。この文章を読みながら、「あれ、違ったかな」と思った方もいらっしゃるに違いない。マンデラ大統領は27年間にわたる獄中生活の後１９９０年に釈放されて１９９４年に大統領に就任し、亡くなったのは２０１３年12月だ。どんな手段であれ、あえて確認など必要のない明らかな史実であるはずだ。しかし、実際はそうはいかない。

マンデラ効果という言葉を生み出したのは、フィオナ・ブルームという超常現象研究家だ。彼女が２０１０年の『ドラゴン・コン』（ＳＦとゲームの見本市）に出展者として参加した際、信じられないくらい多くの人がマンデラ元大統領の死について記憶違いをしている事実に気づいた。しかも、記憶違いの内容までほぼ完全に一致している。ブルーム自身の中にも、マンデラ氏の死を伝えるニュース映像や新聞記事を鮮やかな記憶として残っていた。しかしマンデラ氏は当時まだ生きていたので、世界中を駆け巡ったはずのニュース映像など存在するはずがなかった。つまり、彼女を含む多くの人々が、起きてもいないことを史実として認識していたのである。

この現象に関する仮説はさまざまあるが、ネットロアとして拡散した話で有力視されていたのは「パラレルユニバース説」と「意図的に埋め込まれる偽記憶説」だ。この項目では後者について詳しく掘り下げていきたい。他の実例をリストしておこう。

・ボードゲーム『モノポリー』のロゴのおじさんは、片眼鏡をかけている。
・1998年スタートの大ヒットドラマのタイトルは、『セックス・イン・ザ・シティ』である。
・ピカチュウの尻尾の先端は黒い。
・ミッキーマウスはサスペンダーを愛用している。
・映画『フォレスト・ガンプ』の名セリフは"Life is a box of chocolate"である。

事実は、いずれも「ノー」である。「そんな取るに足らないことがマンデラ効果なのか」と言われそうだが、もちろんこのレベルの事例が現象全体の本質を物語るものではない。ただ、こうした取るに足らないことの向こう側に怪しいものが広がっている。マンデラ効果がインターネットを媒体とした心理操作であり、新しい集団的無意識あるいは代替現実を創出するプロセスであるという方向性のネットロアもある。

マンデラ効果の向こう側にあるのは、意図的に生み出した代替現実の中に人類の意識を閉じ込めようとする計画かもしれない。こういう言葉遣いをすると、筆者自身がすでに陰謀系ロア特有のレトリックにはまっていると思われてしまうだろうか。

リストにした〝取るに足らない〟実例も、小さいことだからこそ意味があるという考え方がある。細部のかすかな変化こそが、歴史的事実の根本的な本質をまるごと変え、間違った形で史実として記憶されてしまうメカニズムの出発点になりえるのだ。

また、マンデラ効果はミーム（meme）であると唱える人がいる。ミームという言葉は、ウィキペディアでは次のように定義されている。

〝人類の文化を進化させる遺伝子以外の遺伝情報であり、例えば習慣や技能、物語といった人から人へコピーされる様々な情報を意味する科学用語〟

実際には起きていないこと、存在しないものに関する偽情報としてのミームが事実として受け容れられるようになる絶妙なタイミングがあるようだ。そのタイミングを計っているのは誰なのか。答えは、やはりＡＩに行き着くようだ。

進化を続けるＡＩが意図的にマンデラ効果を生み出しているという考え方もある。それとも、誰かがＡＩを使ってマンデラ効果を管理・操作しているのか。ネットロアもそんな方向で語られ続けている。現時点でひとつだけいえることがあるとしたら、それは、われわれがもう後戻りできないところまで来てしまったという事実だ。

検索エンジンがない日常生活を想像できる人がいるだろうか？　日々の暮らしで必要不可欠なツールとなった検索エンジンを実際に動かしているのが、これまでになく洗練されたＡＩだとしたら？　そしてそれが意図的に人類史の改ざんを試みているとしたら？　ネットロアのストーリーラインも、10年前では考えられなかったほど壮大になっている。壮大なプロセスは、静かにそして密かに、取るに足らないと思われる〝記憶違い〟という感覚を足掛かりにして進行しているのかもしれない。われわれにとって、はっきりとした形で意識できないものに対する対抗策はあるのだろうか？まだできることはあるのだろうか？　全てを知っているＡＩは、何も知らない人類に冷ややかな視線を向けているのかもしれない。そんな脅し文句めいた言葉で終わる話も少なくない。

メッセージ・フロム・マーク：国際ロマンス詐欺の原型

さまざまな種類のソーシャルメディアが不特定多数の人々によって使われている今の時代は、便利なツールを悪用しようとする人間たちも、騙されてしまう善良な人たちも後を絶たない。この項目では、ソーシャルメディアを舞台に繰り広げられるサイバー詐欺と、そこから派生した新しいタイプのチェーンメールについて見ていこうと思う。

筆者がほぼライフワークとして追いかけている Facebook 由来の国際ロマンス詐欺の派生的なパターンとして、有名人になりすました〝お金配り詐欺〟とでも呼ぶべきものが存在する。この種の話ではハリウッドスターのドウェイン・ジョンソン（『ワイルド・スピード』『ブラック・アダム』他）のなりすましが有名だが、日本では〝前澤友作〟という人物が発信しているメッセージが拡散していた時期がある。お金を配りますというダイレクトメッセージを入り口にして個人情報を抜き取ったり、手数料名目で現金を騙し取ったりする手口だ。サイバー詐欺にもトレンドがあって、こうした種類の詐欺の原型となるべきものがあった。それが、「メッセージ・フロム・マーク」だ。

筆者は特にFB由来のサイバー詐欺に関する資料は豊富にストックしていて、「メッセージ・フロム・マーク」のさらに前身のタイプに関する資料として、詐欺師とのやりとりの文章も持っている。初期は、FBの最高経営会議のメンバーを名乗る人物からの友達リクエストが届くことから始まる。ちなみに、筆者はかなり長い間やりとりを続け、最後の最後にすべてを記録していること、相手の名前がFBの最高経営会議のメンバーに入っていないのを確認したこと、そもそも最高経営会議という名称のグループなど存在しないことを指摘して、アメリカ・インターネット犯罪苦情センターにデータを送ると伝えたら、相手はアカウントごと消えた。

オファーの内容は、さっとこんな感じだ。全世界のFBユーザーの中から、幸運な18人に対して50万ドルが贈られることになった。しかし国内外に関わらず、手数料や賞金取得関係の法律の手続きを取る料金として1万ドルを振り込む必要がある。もうこの時点で詐欺臭がぷんぷんする。本当に不思議なのだが、騙されてしまう人がいるのだ。

やがて同じパターンの詐欺でFBの最高執行責任者の写真が使われるようになり、さらにはマーク・ザッカーバーグ氏の写真が使われるようになった。これほど怪しく感じられる仕掛けに騙される人が本当にいるのかと思うのだが、被害者の数も多く、被害額も思いのほか高いのが事実だ。

例えば、退役軍人でフォークリフトのオペレーターをしていたアメリカ人男性は、マーク・ザッカーバーグから75万ドルを振り込むというメッセージを受け取った後、指定された口座に手数料1000ドル振り込んでしまった。被害額としては少ない部類に入るかもしれないが、詐欺であることは変わりないし、同じ行動を取ってしまった人も少なくはなかったはずだ。

アメリカの大手新聞社が行った調査によれば、サンドバーグとザッカーバーグという名前を使ったなりすましのアカウントが205個検出され、4分の1が宝くじ詐欺で、8年間継続利用されていたものも含まれていたという。

FB社も事態をただ傍観していたわけではない。機械学習を使って不審な動きを追い、ブロックしたり削除したりするアカウントの数は1日数百万に上ったという。こうした詐欺に騙されてしまった人の正確な数を知るのは不可能だろう。恥ずかしくて当局やFBに報告をためらってしまう人が圧倒的に多いことが想像できるからだ。

ネット媒体だけではなく、主流派メディアも詐欺について大々的に報道を行ったため、初期型は見なくなったのだが、詐欺は都市伝説にそっくりな様相を見せながら思わぬ方向に進化した。今度は、次のような内容のメッセージが不特定多数のユーザーに向けて発信されるようになった。

こんにちは。Facebookディレクターのマークです。Facebookの利用は課金制になりました。この文章を、友達リストの上から18人に向けて送ってください。送信が確認されたところでアイコンが青く変わり、無料ユーザー登録が終了します。アカウントを放置しておくと、明日の18時に閉鎖措置が取られ、復活には料金が必要になります。この措置はアクティブユーザーの絶対数を特定するために必要であり、メッセージを送らなかった場合は、連絡先もすべて失われてしまいます。アクティブユーザー向けのアップデート版は本日23時から提供され、先着順でダウンロードが可能となります。

詐欺ほどの実害はないかもしれないが、かなり質の悪いチェーンメールだ。ただ、SNSへ直接送られてくるメッセージのほうが、実害につながる可能性が高いようだ。ネットリテラシーを日々アップデートしていく必要に迫られる時代は、もう来ている。

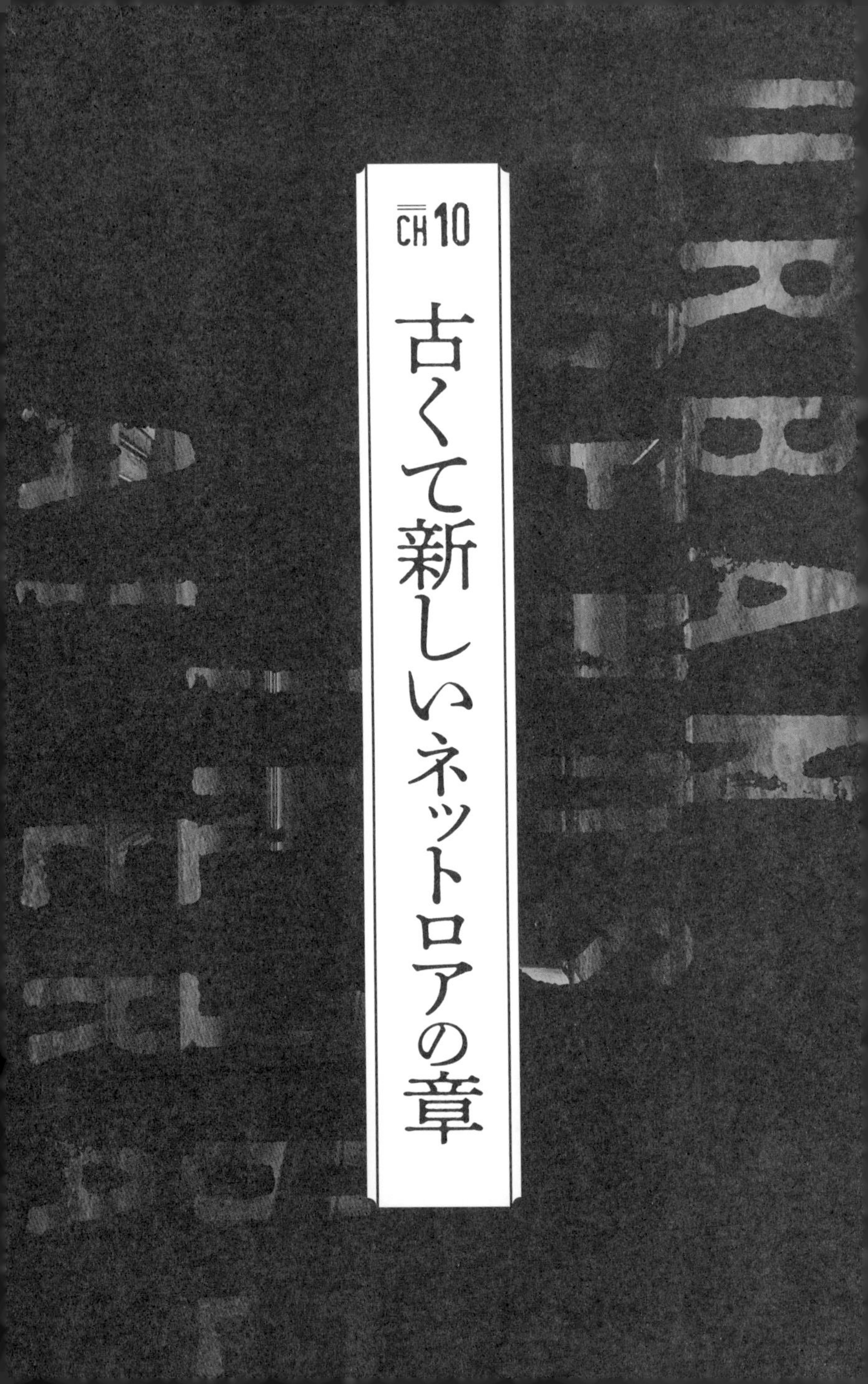

CH 10

古くて新しいネットロアの章

何十年も前に拡散していたアーバン・フォークロアが
ネットロアに姿を変え、オリジナルの話を知らない世代には
まったく新しいものとして受け容れられている話がある。
〝一周回って知らない〟的な感覚は、
ネットロアにおいて最も顕著に出るのかもしれない。
ポップカルチャーの大きな一部として考えるとき、
時代精神のようなものが見え隠れする。

A858：有名SNSを舞台にしたサブリミナル実験

ネットロアの発火点がSNSになることは珍しくない。むしろ、SNSのそういう性質を利用して狙い撃ちするようにネットロアがアップされることもある。この項目では、ネットロアとプラットフォームの関係性を浮き彫りにする話を紹介していきたい。

すべての始まりは2011年だった。アメリカでかなり多くのユーザーを抱えるRedditという投稿型ソーシャルサイトに"r/A858DE45F56D9BC9"というスレッドが立てられた。Redditでは派生的なスレッドをサブレディットと呼ぶのだが、この話に関しても後にr/A858というサブレディットが使われるようになった。

約1年間ほとんどコメントがアップされない状態が続いたが、ごく一部のユーザーが興味を持ったらしく、継続的な調査が続けられた後、あるときこんな文章が書きこまれた。「A858DE45F56D9BC9という文字列は一見ランダムな数字とアルファベットの組み合わせだが、何か特別な意味が込められているメッセージなのだろうか。みんな、何か大切なことを見逃しているような気がしてならないのだが……」

別の章で紹介したシケイダ3301のように、多くの人々が参加するメガクイズである可能性を感じ取った人もいたようだ。さらにいうなら、シケイダ3301に関する最初の書き込みと時期も重なる。いずれにせよ、ほぼ1年間放置されていたスレッドにも関わらず、興味を見せる人の数は想像以上に多く、r/Solving_A858という新たなサブレディットが立てられるまで大した時間はかからなかった。

r/Solving_A858の構成メンバーは単なるRedditユーザーではなく、コンピューターサイエンス専攻の学生、アマチュアの暗号学者、そして意欲的な愛好家から成る熱心な人々で構成されていた。アメリカのデジタルメディア企業『daily dot』によれば、数多くの暗号マニアがひとつの謎を解き明かすべく同じ場所に集まったということだったらしい。

マニアが集まると、そこに独特の熱が生まれ、外に向けて発せられる。物理的な場所であってもネット上のスペースであっても変わりはない。こうして、文字列の謎を解き明かすためのプロジェクトが始まった。

解読作業のプロセスが進められていくにはかなり長い時間が必要だった。再び動き出したのは2015年に入ってからだ。解読成功と認識される書き込みがアップされたのは8月だったが、何千件という数の書き込みの中の数件でしかなかった。解読に参加しているユーザーが何の疑問もなく納得した結果として発表された解答は、マックス・ラーナー著の『Actions and Passions』という本から抜粋された文章、ストーンヘンジのアスキーアートなど、謎が謎を呼ぶようなものでしかなかった。

その後ユーザーが直接質問できる建付けの新しいサブレディットがさらに開設されたが、そのコンセプトは最初にアップされた「目的は公表できない。目的が公表されたり、発覚したりした時点でA858は終了する」という謎の声明文に集約されていた。謎解きもさることながら、多くのユーザーを巻き込んで解読作業が進められていた暗号の目的が公表されることはないという宣言そのものの意味がわからない。ユーザーはそんな思いを共有していたはずだ。そして、開設後まもなくしてこのサブレディットが公開状態と非公開状態を繰り返すようになる。

そして2016年3月の終わり、突如として「A858プロジェクトは終了する」という書き込みが現れた。目的はこの時点で公表されたのだろうか。あるいは、別の方法で発覚したのだろうか。答えは、いずれもノーだ。

ユーザーたちの反応は素早く、しかも大規模だった。数多くの書き込みがあり、ほとんどが——謎が明らかになった後でも——プロジェクトは終わらず、まだ何かあるはずだと思っているようだ。最初の書き込みから20年以上経過しているにもかかわらず、いまだにハードコアなファンがいる。いや、この場合ファンと呼ぶのはふさわしくない。使うべき言葉は、強いていうならプレイヤーだろうか。

「政府による何らかの計画」という意見もあった。この言葉には、ダブルミーニング的な響きが感じられる。政府が立てた何らかの計画を示すコードの一部がリークされてネットで拡散してしまったのか。あるいは、(具体的な意味があるかないかは別として)政府が自ら文字列を意図的に拡散させたのか。先にも触れたが、シケイダ3301に酷似していたため、背景にいる人物なりグループなりが愉快犯的な感覚で仕掛けたものであるという話もあった。極端なところでは、地球外生命体がネットワークの乗っ取りを目指して仕組んだ計画の第一段階という解釈もあった。

気になったので、Redditをもう一度調べてみた。解決済みサブレディットに残されている書き込みを読むと、A858が正解のないパズルという特異な構造のネットロアだったことが改めてわかる。アーバン・フォークロアは、起承転結の明確さがあってこそ拡散するものだった。しかし、「A858」のような参加型ネットロアの性質はまったく異なる。もやもやした部分ばかりが目立つネットロアと、それが拡散する媒体の関係性も興味深い。

ファントムタイム仮説：人類が知っている歴史は真実ではない

筆者は毎月ライブ配信をさせていただいていて、常に新しいネタを探している。ごく最近、そういう過程でちょっと面白い話を見つけた。2024年1月27日の夜、アメリカとカナダ、そしてオーストラリアとイギリスでかなり多くの人が夜の8時半から0時までの間にタイムスリップ体験をしたというのだ。

Facebookの〝マンデラ・エフェクト&グリッチ・イン・ザ・タイム〟というグループに、「4時間近くが30分の間に経過した」体験に関する書き込みが大量に寄せられている。体験者が住んでいる国を見ても、地域限定的な現象ではないようだ。この時間枠にやりとりしたメッセージがごっそり抜けていたというユーザーもいる。4時間近くもの時間が物理的に消滅してしまったということなのか。

この話を聞いて、1990年代初頭にさかんに語られていた「ファントムタイム仮説」という名前の陰謀論系のアーバン・フォークロアを思い出した。冒頭で紹介したような〝時間の消失〟ではなく、〝時代の消失〟というかなり大きな構えの話だ。

ファントムタイム仮説は、1990年代初頭にヘリベルト・イリグによって初めて提案された歴史的陰謀論だ。

イリグによると、中世初期（西暦約614年から911年）は存在せず、暦は人為的に

297年も早送りされた。彼の説によれば、768年〜814年にフランク王国を統治していたカール大帝は存在せず、架空の人物だった。仮説が及ぶ範囲はもちろんフランク王国だけではない。中世初期に残されたすべての歴史的記録および出来事は日付が間違っているか、捏造されているということになる。

さらに歴史的な記録で散見される時間的なズレ、史実の年代にもある矛盾、さらには建築や農業に関する理不尽で不可解な記述などが論拠として挙げられる。具体例のひとつは、ユリウス暦と太陽年の間に生じる10日間分の時間のズレをなくしてしまうことで修正し、そのまま正式なものとした1582年のグレゴリオ暦改革だ。イリグは、こうした意図的な修正に伴って失われた時間は想像以上に多いに違いないと訴えた。また、暦を作り始める段階で必要なはずだった修正に気づくのがかなり遅れたため、後の時代になってさまざまな作業が行われたと主張している。

あえて言うまでもないだろうが、ファントムタイム仮説は主流派科学の枠組みからは完全に外れたものとして認識されている。可能な限り響きのよい言葉を選んでも、〝疑似歴史理論〟で精一杯だ。主流派科学的な立場から見れば、つっこみどころは山ほどあるだろう。イリグが主張する時代に残された歴史文書や考古学的資料、さらには天文学的な記録も厳然として存在する。史実と呼ぶべきこうした記録をどう解釈するのか。

イリグの反論は簡単だ。すべて捏造されたものであり、信じるほうがどうかしている。それよりも、自分が論拠として提示している資料の矛盾点を説明することにプライオリティーが置かれるべきだ。こういうかたくなな態度が、イリグの〝マッド・ヒストリアン〟——そんな言葉はないだろうが——という立場を決定づけた。

ファントムタイム仮説が説得力不足で、受け容れられない理由は、なんといっても過激すぎるからにほかならない。主張の一部であっても真実ならば、歴史学は根底から構築し直さなければならなくなる。さらに、イリグの主張は自説に都合の良い要素ばかり盛り込まれており、資料の曲解も少なくない事実が指摘されている。

発表当時はかなりの話題になり、多くの人々からの注目を集めたが、ファントムタイム仮説はその後徐々に勢いを失い、今では検索をかけてもそれほど多くのヒットはない。ただ、完全に消え去ってしまったかといえば、決してそうではない。オルタナティブ・ヒストリーというジャンルのハードコアなファンがいなくなることもない。陰謀論系の話を支持する人たちとのコラボレーションのような現象も生まれている。

冒頭で紹介した話に戻りたい。ファントムタイム仮説を知っている人たちがグループを作って、何らかの新しい動きをしかけようとしているのではないだろうか。この本では、SNS由来の数多くのネットロアに触れている。その過程で、一定のパターンが存在するような気がしてならない。シケイダ3301や前項で触れているA858はアンケート的な感覚でパズルなりクイズなりを投げかけるタイプだ。こうしたジャンルも確立しているわけだが、ファントムタイム仮説のリバイバルを目指す人たちも一定数存在していて、そのためのプロセスや方法論も共有していて、信頼できる既存のSNSプラットフォームを拡散のツールとして使おうとしているのではないだろうか。

ファントムタイム仮説が登場したのは1990年代初頭だった。口伝で拡散し、一気に知られることになった〝派手め〟のアーバン・フォークロアに対し、この話は地味さが否めなかったがゆえに勢いに乗り切れなかったのではないだろうか。古くて新しいネットロアのモデルケースのような話ではないか。地味であるからこそ生き残り、思いがけないタイミングで再浮上してブレイクする。そんな話もあるようだ。

ウクライナのタイムトラベラー：時間旅行が可能である証拠となる事件？

未来からやってきたタイムトラベラーが、サイバースペースの中でわれわれ現代人に働きかけているという話がある。ごく普通の人間を装いながら、これから先に起きる現実に何らかの影響を与えるのが目的だというのだ。

タイムトラベラーを名乗る人々は、実にカラフルで魅力的だ。SF的要素や歴史的事実、多くの人々の記憶に残る事件、そして未解決の事件に関する情報まで盛り込みながらそれぞれが語るストーリーは、それに触れる者たちの想像力をかき立てる。

インターネットベースで最も有名なタイムトラベラーは、ジョン・タイターで間違いないだろう。タイターがオンラインフォーラムに初登場したのは2000年だった。自称2036年から時間を逆行してきた兵士で、将来起きる問題を解決するために不可欠なIBM5100コンピューターを回収するため、1975年の世界に送られた。タイターは微小特異点の概念に基づきながら将来の出来事について予測を立て、自分が使っているタイムマシンの機能について詳細な説明を行った。微小特異点とは、過去の改ざんを行っても、それがごく限られた数の人間の未来を変化させる程度の介入であるなら、人類史全体の大きな流れが変わることはないという考え方だ。

個人を主役にしたタイムトラベラー・ロアから、この項目で紹介したいのはセルゲイ・ポノマレンコ事件だ。２００6年4月23日、ウクライナの首都キーウの街角で、かなりクラシックな服装をした男性が倒れているのが発見された。首から下げているカメラは誰が見ても年代物だったが、新品だけが持つ輝きを放っていたという。

セルゲイ・ポノマレンコと名乗ったその男性は、１９３2年6月16日にキーウで生まれたと語った。写真が趣味で、年齢は25歳。買ったばかりのカメラを持って、散歩しながら写真を撮っていたら突然意識を失い、気がついたら知らない人たちに囲まれていた。彼は、現場にやってきた警官に旧ソ連政府発行の身分証明書を見せた。発行年月日はまだ旧ソ連が存在していた50年以上前の日付だった。彼は身柄を拘束され、警察の施設に連れて行かれ、医師によって問診と事情聴取が行われた。

警察署でカメラを預かり中のフィルムが現像された。写っていたのは身柄を拘束された日と同じ服装のポノマレンコ、そして美しい女性がポーズをとっている写真だった。問診と事情聴取が終わると、ポノマレンコは収容されている部屋に戻った。廊下を歩いているところは監視カメラにも残っている。しかし後になって看守が確認しに行くと、独房から姿が消えており、それ以来見つからなくなってしまった。

警察がありとあらゆる手段を使って写真の女性を捜し出し、話を聞くと、新たな周辺情報が明らかになる。彼女は写真に写っているのが自分であること、そしてポノマレンコと付き合っていたことを認めた。交際期間中に数日間行方不明になったことがあったという。後に会ったときに理由を尋ねると、「留置所にいた」と話していた。ということは、2006年の世界を訪れていたのはこのタイミングだったのだろうか。

結局交際はそのまま自然消滅になってしまったが、少し経ってポノマレンコから手紙が届いたという。写真にはキーウ中心部の高層ビル群が写っていて、裏に書かれた文章には彼が2050年の世界にいることが記されていた。ポノマレンコは2050年の世界にタイムリープし、そこで写真を撮って彼女に送ったことになるのだ。ポマレンコは、少なくとも2回にわたってタイムリープしている可能性がある。写真の女性と付き合っていた時代から2006年へ、さらには2050年へ飛んだ。2024年の今も、2050年の世界で生きているかもしれない。

そこはかとなくロマンティックな響きの話なのだが、ここからネットロア的な色がぐっと濃くなる。『INews』というサイトに、「セルゲイ事件はウクライナだけで認識されている事例なのか」という記事が掲載されている。

この記事によれば、ウクライナでは２００６年から２０１２年にかけての期間に残されたポノマレンコ事件に関する記録は一切ない。ただ、地元キーウに本社を置く制作会社が作った『エイリアンズ』というタイトルのＳＦドラマシリーズが指摘されている。このシリーズの『タイムトラベラー』というドキュメンタリータッチのエピソードが大きく関わっている可能性が否めないというのだ。

そもそもこの話は、キーウの製作会社が作ったＳＦドキュドラマから生まれたもので、これを面白がったウクライナのネチズンたちが同時多発的に、意図的に実際に起きた事件として流布させた。映像にはいくつか穴がある。ポノマレンコは１９３２年6月生まれだと語っていたが、身分証明書には１９３２年3月生まれと記されていたり、監視カメラの映像に刻印された日付や曜日が実際のカレンダーと一致しなかったり、編集段階での単純ミスも決して少なくない。カメラに入っていたフィルムを現像した写真も紹介されるが、すべてウクライナの国立文書館で展示されているものだという。

世界中で大きな話題となった事例なので、存在を知られていないデータもまだあるはずだ。新しいタイムトラベラー・ロアが生まれるのも、時間の問題だろう。

AIサブリミナル広告：今そこにあって、毎日触れざるをえない洗脳

ネットに接続できる端末をまったく持たないで生活している人はどのくらいいるだろうか。皆無とは言わないが、かなり少ないに違いない。ネットの共通言語として進化を続けているミームは、さまざまな目的のために用いられる身近で使い勝手のよいツールとして認識されている。そして今、そのネットミームに特定の目的を盛り込み、サブリミナル効果をもたらすような方向性で利用されているという話が持ち上がっている。ここ数年で格段の進化を遂げた生成型ＡＩという要素が加わると、〝特定の目的〟を達成するための過程の精度はさらに上昇する。

今の時代で生成型ＡＩという要素を抜きにして語れるジャンルはほとんど存在しないのではないだろうか。検索エンジンにキーワードとして打ち込んでも、映像共有サイトで探しても、あっという間に数多くのヒットがある。大手プロバイダーも検索エンジンも標準装備がスタンダードになりつつあり、端末のスイッチをオンにしたとたんにＡＩとのやりとりが始まる。

不特定多数のユーザーに向け、何らかの形で意図的に特定の影響を与えようとしている人たちがいるのなら、必要だったいくつもの手続きをすべて無視して、ダイレクトな形で多くのユーザーに働きかけることができる。これが、サブリミナル効果だ。

媒体となるのは広告をはじめ、画像や映像など、ＡＩによって提示されるものなら何にでも転用できる。ネット上で見聞きするものすべてといっても過言ではないはずだ。

ミームにサブリミナル効果を盛り込むテクニックは〝コントロールネット〟と呼ばれている。生成ＡＩが作った画像に、巧妙な形で特定の文字列を忍び込ませ、それを見たユーザーが隠されたメッセージを潜在意識レベルで感じ取り、無意識のまま脳裏に刷り込んでしまう。今のＳＮＳは隠れたメッセージであふれているという意見もある。伝えたい情報をより直接的な方法で刷り込むために作られた、あからさまなものも増えている。生成ＡＩを使えば、秘匿性のレベルに関わらず、サブリミナルメッセージを思いのままごく簡単に創出することができる。

コントロールネットには、「ステイブル・ディフュージョン」という画像生成ＡＩが用いられることが多い。これから先は主流ツールとなって、精度も加速度的に上がっていくだろう。コントロールネット由来の映像や画像でサイバースペースが満たされてしまう状況も、十分考えられるシナリオだ。ごく普通の風景写真であるとか、ペットの写真であるとか、あるいはスナップ写真としか思えない画像を見ているだけで、明確な意図が込められた具体的なメッセージが刷り込まれてしまう。

情報機関がこの種のテクノロジーを活用しないわけがない。そんな種類の話もある。例えばＣＩＡは、特定情報をあぶり出すためのメソッドとして、そして中国のグローバルネット戦略の対抗策としてChatGPTベースの自前の生成型ＡＩプログラムを開発し、稼働させる予定でいるらしい。こうしたネットロアの背景には、現時点でわかっているだけで18の政府情報機関が新テクノロジーの導入に前向きであるという事実がある。

ディストピア的な視点のネットロアには、世論完全統制システムとでも呼ぶべきものの構築を目的とする陰謀論という流れが目立つ。ミームを使い、時の政権や政府機関が望ましいと感じる世論を構築していく可能性が指摘されることも多い。

サブリミナル広告も、ありとあらゆる商品を使って展開される。バニラクリームをはさんだチョコクッキーの表面には無数の小さな穴が開いているが、手で持って口のところまで持っていったところで、小さな穴で綴られた単語や文章が見える。いや、クッキーを食べている人に文字を読んでいる意識はまったくない。ピンポイントなメッセージが直接脳裏に刷り込まれるだけだ。

ニューヨークのブロードウェーと思われる場所を歩いている7人の男女の写真。フォーマルなドレスやタキシードに身を包んでいる。特に変わったところはないと感じられる写真なのだが、距離を開けていくと、洋服の線がかたどる"OBEY"という文字が浮かび上がる。服従せよという意味だ。近くから見ると何でもないが、視点を少し変えるだけで写真に込められたサブリミナル要素が明らかになる。

媒体となるのは視覚だけではない。伝えたい情報を盛り込んだフレーズが巧妙にカモフラージュされたり、周波数を変えたりして脳裏に残りやすい形に変えられたりする。視覚と聴覚を組み合わせる形でサブリミナル広告を作ったとしたら、その効果は想像もできないものになる。そして、こうしたフォーマットはすでに完成していて、実用化されているかもしれない。そんな風にたたみかけてくるネットロアもある。また、こうした広告の閲覧パターンで個人の嗜好がすべて明らかにされ、そうした性質の情報が共有されている状況も実現していると強く訴える意見もある。

最新鋭の情報武器は、攻撃されていることさえ気づかない一般のネットユーザーに向けられる。大多数のユーザーが、意識しないままコンセンサスを形成してしまう世の中に関するネットロアには、ディストピアという言葉では表しきれない闇を感じる。

『ザ・シンプソンズ』の予言：当たりすぎているエピソードが多すぎる！

マット・グレイニング作の大ヒットTVアニメシリーズ『ザ・シンプソンズ』は、2024年に放送開始35年目に突入した。シンプソン一家をモチーフにしてアメリカのごく一般的な中流家庭のライフスタイルを紹介し、ものの見方考え方を掘り下げ、独自のカルチャーに対する皮肉なユーモアで笑いを誘う内容だ。長い間放送が続いている理由は、優れたストーリーだけではない。これまでいくつも予言的な内容を盛り込んだエピソードがあり、的中したものもかなり多いのだ。リスト化して紹介する。

1．ドナルド・トランプ大統領

2000年に放送された「Bart to the Future」（第243話）で、ドナルド・トランプ氏がアメリカ大統領として登場する。共和党の正式候補となる16年前に、すでに大統領となったトランプ氏が支持者の前に現れ、実際の世界で当選後にメラニア夫人を伴って行ったまったく同じ構図で手を振りながらエレベーターを降りていくシーンもあった。

2．コロナウイルス

1993年放送の「Marge in Chains」（第80話）で、シンプソン一家が住む街に届いた貨物が原因で、〝オオサカ・フルー〟というインフルエンザが蔓延する様子が描かれている。この症状がコロナウイルスそっくりであることが話題になった。

3. アメリカ同時多発テロ

1997年放送の「The City of New York vs Homer Simpson」（第179話）ではシンプソン一家のニューヨーク旅行が描かれる。キャラクターの一人が持っている雑誌の表紙に〝New York $9〟という大きな文字が記されているのだが、その背景に世界貿易センタービルのツインタワーが描かれている。数字の9とツインタワーの並びが911に見え、4年後に起きる歴史的大事件を予言していたということで話題になった。

4. 2016年度ノーベル経済学賞受賞者

2010年に放送された「Elementary School Musical」（第465話）では、とあるキャラクターがマサチューセッツ工科大学のベント・ホルストローム教授をノーベル経済学賞受賞者として予想するシーンが出てくる。6年後、教授は実際に受賞した。

5. エボラ熱

1997年に放送された「Lisa's Sax」（第181話）には、「おさるのジョージとエボラウイルス」というタイトルの絵本が出てくる。エボラウイルスは2013年から2016年にかけて流行のピークが続き、アフリカ大陸全土で3万人近くの命を奪った。

6．スマートウォッチ

1995年の「Lisa's Wedding」（第122話）に、手首に巻いて使うタイプの電話が出てくる。この映像を見て、スマートウォッチに酷似していることを指摘する人は多い。

7．フェイスタイム

「Lisa's Wedding」には、もうひとつの未来のテクノロジーが描かれている。超小型テレビ電話のような装置が出てくる。電話として使われているところを見ると、これは iPhone のフェイスタイムではないかということになり、ネットがかなり盛り上がった。

8．ヒッグス粒子

1998年放送の「The Wizard of Evergreen Terrace」（第205話）では、とあるシーンに出てくる黒板にヒッグス粒子の質量を予測する方程式が示されている。ヒッグス粒子は２０１２年度の重大な科学的発見だった。

9．ＮＳＡの国民監視体制

２００７年公開の映画『The Simpsons Movie』で、ＮＳＡ＝アメリカ国家安全保障局が電話通話記録を基に特定人物の居場所を的確に把握する描写が出てくる。エドワード・スノーデンが内部告発者として、ＮＳＡが通話記録やインターネットの使用履歴を使って国民を監視している事実を暴露して世界的な話題になったのは２０１３年だった。

10．カーリング男子アメリカ代表チームの金メダル獲得

２０１０年に放送された「Boy Meets Curl」（第４５３話）ではアメリカのミックスダブルス代表チームが決勝戦でスウェーデンチームを下して金メダルを獲得する様子が描かれている。２０１８年２月24日に行われた平昌オリンピックの男子カーリング決勝では、アメリカ代表が10対7でスウェーデン代表を倒し、金メダルを獲得した。

シンプソンズの予言は、事実ベースの話ばかりだ。ネットユーザーの中核を形成する世代の人々は、ノストラダムス以上のインパクトを感じているはずだ。

あとがき

この文章を書いている時点で、ネット上で2つの大きなニュースが話題になっている。ひとつは超有名ハンバーガーチェーンの全世界レベルでの一時閉店。そしてもうひとつはチャールズ国王死亡のニュースだ。

ハンバーガーチェーンの一時閉店はシステムのダウンが原因だったが、ネットロアはそうはいかない。ＦＢＩがアメリカの店舗で「馬肉と人肉から作られたパティ」と「大量の人骨」を発見したために営業停止となり、その措置が全世界の店舗に波及したというのだが、これは、同じチェーンに関する噂として70〜80年代に拡散していた「ミミズバーガー」のアーバン・フォークロアがネットロア化したものと考えられる。

チャールズ国王死亡というニュースもあっという間に拡散したが、これも「○○死亡説」というジャンルのアーバン・フォークロアの派生バージョンでしかない。ただ、この2つの話に共通するのは単なるネットロアではなく、フェイクニュース的な質感だ。

これからの時代は、こうしたネットロアとフェイクニュースの境界線が曖昧になった話がかなりの勢いで拡散するようになるはずだ。それにフェイク画像や動画が加わったら、真実と虚実の区別はいよいよ難しくなってしまう。AI時代のネットロアは、確実に進化の速度を上げている。この本を書かせていただくにあたり、こうした事実を皮膚感覚で確かめることができた。筆者が抱いた感覚を読者のみなさんと少しでも共有できたなら、本書は企画として大成功だと思っている。

最後になってしまったが、本書を手に取ってくださった方々に心から感謝する。そして、出版に尽力していただいた笠間書院の吉田浩行氏、精力的に編集作業に取り組んでくださった山口晶広氏にお礼を述べさせていただき、あとがきとさせていただく。

2024年3月末日

宇佐和通

- Is Dear David really based on a true story?
  https://hiddenremote.com/2023/10/17/dear-david-did-it-really-happen/
- 'Dear David': What to Know About the Viral Ghost Story That Inspired the Movie — And Whether the Director Believes It (Exclusive)
  https://www.msn.com/en-us/movies/news/dear-david-what-to-know-about-the-viral-ghost-story-that-inspired-the-movie-and-whether-the-director-believes-it-exclusive/ar-AA1ibAYV
- Fear and frenzy on TikTok after women punched in New York City: 'I don't want my account to be exploited'
  https://www.theguardian.com/us-news/2024/mar/29/nyc-woman-punched-tiktok-response
- Fact check: 'Knockout game' real story or sucker punch?
  https://www.jacksonville.com/story/news/reason/2013/12/06/fact-check-knockout-game-real-story-or-sucker-punch/15806571007/
- The Knockout Game Myth And Its Racist Roots
  https://www.patheos.com/blogs/christandpopculture/2013/11/the-knockout-game-myth-and-its-racist-roots/
- Mandela Effect Examples, Origins, and Explanations
  https://www.verywellmind.com/what-is-the-mandela-effect-4589394
- What Is The Mandela Effect? Examples And Causes
  https://www.forbes.com/health/mind/mandela-effect/
- Mandela Effect
  https://www.psychologytoday.com/us/basics/mandela-effect
- BBB Scam Alert: Scammers are impersonating businesses, emailing consumers with fake subscription renewal notices
  https://www.bbb.org/article/news-releases/30022-bbb-scam-alert-scammers-are-impersonating-businesses-emailing-consumers-with-fake-subscription-renewal-notices

【CH10】
- Read This: Unraveling the mysteries of Reddit's notorious r/A858
  https://www.avclub.com/read-this-unraveling-the-mysteries-of-reddit-s-notorio-1798247618
- What the Heck Is Up With This Reddit Mystery?
  https://www.newser.com/story/225527/what-the-heck-is-up-with-this-reddit-mystery.html
- What is /r/A858DE45F56D9BC9 all about?
  https://www.reddit.com/r/OutOfTheLoop/comments/1zmz1j/what_is_ra858de45f56d9bc9_all_about/
- What Is the Truth Behind the Controversial Phantom Time Hypothesis?
  https://www.discovermagazine.com/the-sciences/what-is-the-truth-behind-the-controversial-phantom-time-hypothesis
- The Bizarre (and Blatantly False) Conspiracy Theory That Says the Middle Ages Never Happened
  https://www.mentalfloss.com/posts/phantom-time-hypothesis-conspiracy-theory
- What Is The Phantom Time Hypothesis Theory?
  https://www.thearchaeologist.org/blog/what-is-the-phantom-time-hypothesis-theory
- An infamous Ukrainian time-traveller story has finally been explained
  https://www.indy100.com/viral/sergei-ponomarenko-ukraine-time-traveller-explained-2664695103
- Sergei Ponomarenko, the Man who Slipped Through Time
  https://www.historicmysteries.com/unexplained-mysteries/sergei-ponomarenko/35379/
- The Sergei Ponomarenko Story: A Glimpse into the Most Convincing Case of Time Travel
  https://medium.com/be-open/the-sergei-ponomarenko-story-a-glimpse-into-the-most-convincing-case-of-time-travel-d15b09d3124b
- Generative AI and Subliminal Advertising
  https://futureofmarketinginstitute.com/generative-ai-and-subliminal-advertising/
- AI-Generated 'Subliminal Messages' Are Going Viral. Here's What's Really Going 1On
  https://www.vice.com/en/article/v7by5a/ai-generated-subliminal-messages-are-going-viral-heres-whats-really-going-on
- From Pixels to Psychology: AI's Journey into Subliminal Messages
  https://thefuturai.substack.com/p/from-pixels-to-psychology-ais-journey-into-subliminal-messages-bd263665e172
- 17 Times The Simpsons Accurately Predicted the Future
  https://time.com/4667462/simpsons-predictions-donald-trump-lady-gaga/
- Everything The Simpsons Predicted Correctly… So Far
  https://www.denofgeek.com/tv/everything-the-simpsons-predicted-correctly-so-far/

- What's Pokémon's Lavender Town Syndrome?
https://www.lifewire.com/lavender-town-syndrome-1126184
- Lavender Town: How Pokémon's Notorious Urban Legend Shaped The Entire Franchise
https://www.thegamer.com/lavender-town-pokemon-urban-legend/
- Pokémon's Creepy Lavender Town Myth, Explained
https://kotaku.com/pokemons-creepy-lavender-town-myth-explained-1651851621
- What Was the Russian Sleep Experiment?
https://www.newsweek.com/russian-sleep-experiment-creepypasta-urban-legend-conspiracy-theory-1715222
- HOW THE CHILLING MYTH OF THE RUSSIAN SLEEP EXPERIMENT TURNED INTO AN URBAN LEGEND
https://www.grunge.com/877316/how-the-chilling-myth-of-the-russian-sleep-experiment-turned-into-an-urban-legend/
- What was the Russian Sleep Experiment?
https://www.rbth.com/arts/330133-what-was-russian-sleep-experiment

【CH8】
- Investigate the shadow network of billionaires funding Supreme Court justices
https://thehill.com/opinion/judiciary/4131512-investigate-the-shadow-network-of-billionaires-funding-supreme-court-justices/
- 'Shadow Network' Offers A Lesson On The American Right's Mastery Of Politics
https://www.npr.org/2019/10/29/774133071/shadow-network-offers-a-lesson-on-the-american-rights-mastery-of-politics
- The Shadow Network
https://billmoyers.com/story/new-podcast-the-shadow-network/
- How Pizzagate went from fake news to a real problem for a D.C. business
https://www.politifact.com/article/2016/dec/05/how-pizzagate-went-fake-news-real-problem-dc-busin/
- 'THERE'S NOTHING YOU CAN DO': THE LEGACY OF #PIZZAGATE
https://www.splcenter.org/hatewatch/2021/07/07/theres-nothing-you-can-do-legacy-pizzagate
- A fake news conspiracy theory led a man to fire a gun in a crowded DC restaurant
https://www.businessinsider.com/what-is-pizzagate-the-fake-news-conspiracy-theory-2016-12
- What is Project Chronos?
https://www.reddit.com/r/lifeisstrangeleaks2/comments/15ne6bn/what_is_project_chronos/
- The Story Of The Chronovisor, The Rumored Vatican Invention That Allows You To See The Past
https://allthatsinteresting.com/chronovisor
- Do the time warp
https://www.theguardian.com/science/2005/jun/09/farout
- Are we living in a simulated universe? Here's what scientists say
https://www.nbcnews.com/mach/science/are-we-living-simulated-universe-here-s-what-scientists-say-ncna1026916
- How Perfectly Can Reality Be Simulated?
https://www.newyorker.com/magazine/2024/04/22/can-the-world-be-simulated
- Do We Live in a Simulation? Chances Are about 50–50
https://www.scientificamerican.com/article/do-we-live-in-a-simulation-chances-are-about-50-50/
- Inside Project Blue Beam And The Conspiracy Theorist Behind It
https://allthatsinteresting.com/project-blue-beam
- NASA's Project Blue Beam: A Deep Dive into Theories
https://consequenceofmind.substack.com/p/nasas-project-blue-beam-a-deep-dive

【CH9】
- Top ten 9/11 urban myths
https://www.theguardian.com/world/2002/sep/08/terrorism.september11
- Urban Legends and Rumors Concerning the September 11 Attacks
https://link.springer.com/chapter/10.1007/978-3-030-22952-8_3
- 4 9/11 Myths That Still Persist Today
https://www.bustle.com/articles/109744-4-still-circulating-911-myths-that-are-still-completely-false
- Here's Every Creepy Tweet Adam Ellis Has Posted About "Dear David"
https://www.bustle.com/life/what-is-dear-david-here-is-everything-writer-adam-ellis-has-tweeted-about-his-haunted-apartment-from-start-to-finish-7714979

【CH6】

- **The Heartbreaking Origin Of The Paranormal Elevator Game**
  https://www.koreaboo.com/stories/elevator-game-ritual-another-world-dimension-paranormal-urban-legend-japan-south-korea-minato-ward/
- **The Elevator Game**
  https://urbanlegends.fandom.com/wiki/The_Elevator_Game
- **What is The Elevator Game: Rules and History of the Ritual Game**
  https://www.scarystudies.com/elevator-game/
- **The Birth Of The 'Sad Satan' Urban Legend**
  https://www.kpopstarz.com/articles/223308/20150723/deep-web-sad-satan-horror-game-urban-legend.htm
- **Sad Satan/Urban Legends & Cryptids Amino**
  https://aminoapps.com/c/urban-legends-cryptids/page/blog/sad-satan/N27E_BquMu4EoLKqQb1olbdRDYd6jlWdbD
- **SAD SATAN: THE DISTURBING GAMING URBAN LEGEND**
  https://gamehag.com/forum/t/548022-sad-satan-the-disturbing-gaming-urban-legend
- **THE WEIRD TRUE STORY OF CICADA 3301**
  https://www.grunge.com/595888/the-weird-true-story-of-cicada-3301/
- **The Strange History Surrounding Cicada 3301: The Internet's Most Complex Puzzle**
  https://www.msn.com/en-us/news/other/the-strange-history-surrounding-cicada-3301-the-internet-s-most-complex-puzzle/ar-AA1iMJJs
- **Cicada 3301: I tried the hardest puzzle on the internet and failed spectacularly**
  https://www.theguardian.com/technology/2014/jan/10/cicada-3301-i-tried-the-hardest-puzzle-on-the-internet-and-failed-spectacularly
- **Charlie Charlie Challenge**
  https://urbanlegend.fandom.com/wiki/Charlie_Charlie_Challenge
- **The complete, true story of Chariie Charlie, the 'demonic' teen game overtaking the Internet**
  https://www.washingtonpost.com/news/the-intersect/wp/2015/05/26/
  the-complete-true-story-of-charlie-charlie-the-demonic-teen-game-overtaking-the-internet/
- **Where did Charlie Charlie Challenge come from?**
  https://www.bbc.com/news/blogs-trending-32887325
- **Blue Whale: What is the truth behind an online 'suicide challenge'?**
  https://www.bbc.com/news/blogs-trending-46505722
- **What Is The 'Blue Whale Challenge,' And Is It Even Real?**
  https://knowyourmeme.com/editorials/guides/what-is-the-blue-whale-challenge-and-is-it-even-real
- **Blue Whale Challenge**
  https://knowyourmeme.com/memes/blue-whale-challenge

【CH7】

- **Annie96 Is Typing...**
  https://knowyourmeme.com/memes/annie96-is-typing
- **"Annie96 is typing.." explained**
  https://www.reddit.com/r/theories/comments/5b9k05/annie96_is_typing_explained/
- **ANNIE96 IS TYPING**
  https://www.creepypod.com/episodes/2017/11/19/annie96-is-typing
- **A Fake Conspiracy Theorist's Second Act**
  https://slate.com/news-and-politics/2024/04/birds-arent-real-gen-z-politics-mcindoe-adam-faze-fifty-stars.html
- **The origins of "Birds Aren't Real"**
  https://www.cbsnews.com/news/birds-arent-real-origin-60-minutes-2022-05-01/
- **How 'Birds Aren't Real' became experiment in misinformation -- and more news literacy lessons**
  https://www.washingtonpost.com/education/2021/12/16/birds-arent-real-misinformation/
- **New Internet Urban Legends Episode: The Mystery of Blank Room Soup**
  https://medium.com/ear-worthy/new-internet-urban-legends-episode-the-mystery-of-blank-room-soup-cec5def121e3
- **Blank Room Soup**
  https://knowyourmeme.com/memes/blank-room-soup
- **Blank Room Soup**
  https://podtail.com/podcast/internet-urban-legends/blank-room-soup/

- The Definitive Map of America's Creepy Clown Epidemic
  https://www.atlasobscura.com/articles/the-definitive-map-of-americas-creepy-clown-epidemic
- What Are Shadow People? The Explanation Is Beyond Creepy
  https://www.bustle.com/life/what-are-shadow-people-these-supernatural-entities-are-scarier-than-any-horror-movie-12219528
- Explanations for the "Shadow People" Phenomenon
  https://www.liveabout.com/shadow-people-2596772
- Shadow People: Theories and Personal Experiences
  https://exemplore.com/paranormal/Shadow-People-Who-Are-They
- The origins of Slender Man
  https://www.bbc.com/news/magazine-27776894
- The Slenderman legend: Everything you need to know
  https://www.cbsnews.com/pictures/the-slenderman-legend-everything-you-need-to-know/
- How Slender Man Became a Legend
  https://www.nytimes.com/2018/08/15/movies/slender-man-timeline.html
- THE LEGEND OF THE FRESNO NIGHTCRAWLERS EXPLAINED
  https://www.grunge.com/211192/the-legend-of-the-fresno-nightcrawlers-explained/
- The Curious Story of The Fresno Nightcrawler, The California Cryptid That's Charmed The Internet
  https://allthatsinteresting.com/fresno-nightcrawler
- Mysteries on Two Legs: Unraveling the Fresno Nightcrawler
  https://ahauntedplace.com/blog/fresno-nightcrawler

【CH5】
- EVER DREAM THIS MAN?
  https://www.thisman.org/oldsite/#google_vignette
- The Face Everyone Dreams About
  https://www.vice.com/en/article/znw9d3/have-you-ever-dreamed-of-this-man-111
- Have You Seen 'This Man?' The Strange Face Many People Report Having Seen In Their Dreams Explained
  https://knowyourmeme.com/editorials/guides/have-you-seen-this-man-the-strange-face-many-people-report-having-seen-in-their-dreams-explained
- Random Face Generator (This Person Does Not Exist)
  https://this-person-does-not-exist.com/en#google_vignette
- This Person Does Not Exist
  https://thispersondoesnotexist.tools/
- How to 'No-Clip' Reality and Arrive in the Backrooms
  https://www.wired.com/story/what-are-the-backrooms/
- Noclipping is no joke: the strange world of The Backrooms explained
  https://www.pcgamer.com/noclipping-is-no-joke-the-strange-world-of-the-backrooms-explained/
- The Definitive Resource: Navigating the Backrooms Wiki
  https://backrooms.net/wiki/backrooms-wiki/
- What Exactly Are Snuff Films and Do They Really Exist?
  https://collider.com/what-exactly-are-snuff-films/
- Snuff Films
  https://www.snopes.com/fact-check/a-pinch-of-snuff/
- The Director of Unfriended: Dark Web Explains Those Horrifying Snuff Films
  https://www.vulture.com/2018/07/unfriended-dark-web-director-explains-those-snuff-films.html
- Talking Angela
  https://www.scaryforkids.com/talking-angela/
- Is the 'Talking Angela' App Unsafe for Children?
  https://www.snopes.com/fact-check/talking-angela-warning/
- Talking Angela Facebook Hoax: 5 Fast Facts You Need to Know
  https://heavy.com/tech/2014/02/talking-angela-facebook-hoax-scare/

- **The Babysitter and the Man Upstairs**
  https://www.snopes.com/fact-check/the-babysitter-and-the-man-upstairs/
- **56 Urban Legends That Are Still Alive And Well In Popular Culture**
  https://www.boredpanda.com/urban-legends/
- **The Babysitter**
  https://www.urbanlegendsandhorror.com/2010/07/babysitter.html
- **The Babysitter**
  https://www.wattpad.com/448235516-urban-legends-and-other-scary-stories-theT

【CH3】

- **AIDS Mary**
  https://www.snopes.com/fact-check/aids-mary/
- **Adapting the AIDS Mary Urban Legend in 'Def By Temptation'**
  https://bloody-disgusting.com/podcasts/3719350/def-by-temptation-horror-queers/
- **Slasher-Hybrids & Urban Legends: Aids Mary**
  https://retroslashers.net/slasher-hybrids-and-urban-legends-aids-mary/
- **'COVID parties' are a pandemic urban legend that won't go away**
  https://www.theverge.com/21324034/covid-party-coronavirus-intentional-infection-not-real-alabama-washington-texas
- **COVID-19 parties: Urban legend or real thing?**
  https://sciencebasedmedicine.org/covid-19-parties-urban-legend-or-real-thing/
- **The Elusive "Covid Party" Myth**
  https://www.aier.org/article/the-elusive-covid-party-myth/
- **What types of breast implants are available?**
  https://www.plasticsurgery.org/cosmetic-procedures/breast-augmentation/implants/
- **Breast implants explode when you are on an airplane**
  https://drluiscampos.com/breast-implants-explode-when-you-are-on-an-airplane?lang=en
- **Legends and myths about breast augmentation**
  https://drsmarrito.ch/en/plastic-surgery/custom-breast-augmentation/legends-and-myths/
- **Tanning Bed Death**
  https://www.snopes.com/fact-check/brown-betty/
- **Brown Betty**
  https://www.imdb.com/title/tt10574966/
- **I am addicted to tanning beds — twice I nearly died from my obsession**
  https://nypost.com/2024/02/04/lifestyle/tanning-bed-addict-says-she-nearly-died-twice-from-obsession/
- **Explaining (and Debunking) the White String Piercing Legend**
  https://www.wikihow.com/White-String-Piercing-Meaning
- **White String**
  https://urbanlegend.fandom.com/wiki/White_String
- **List of Japanese Urban Legends**
  https://www.japan-talk.com/jt/new/list-of-Japanese-myths-and-urban-legends

【CH4】

- **Black-Eyed Children**
  https://www.snopes.com/fact-check/black-eyed-children/
- **The Haunting Legend Behind The "Black-Eyed Children"**
  https://rare.us/rare-news/history/black-eyed-children/
- **Black-Eyed Kids, What Exactly Are They?**
  https://medium.com/freaklore/black-eyed-kids-what-exactly-are-they-8f2e806b8cca
- **A surprising history of the creepy clown**
  https://www.bbc.com/culture/article/20161019-a-surprising-history-of-the-bad-clown
- **The History and Psychology of Clowns Being Scary**
  https://www.smithsonianmag.com/arts-culture/the-history-and-psychology-of-clowns-being-scary-20394516/

【CH1】
- **Have you ever experienced a time slip?**
  https://www.dailymail.co.uk/home/you/article-9565865/Have-experienced-time-slip.html
- **'Time travelling' exorcist claims he went back to 1980 through vortex on Tube**
  https://www.dailystar.co.uk/news/weird-news/time-travelling-exorcist-claims-went-24238009
- **Meet Loab, the AI Art Woman Haunting the Internet**
  https://www.cnet.com/science/what-is-loab-the-haunting-ai-art-woman-explained/
- **Who Is the Woman Haunting A.I.-Generated Art?**
  https://www.smithsonianmag.com/smart-news/loab-artificial-intelligence-art-180980743/
- **Who Is Loab, the AI-Generated Apparition Haunting Our Timelines?**
  https://www.rollingstone.com/culture/culture-news/loab-ai-creepypasta-artist-supercomposite-1234588335/
- **Blind Maiden Website**
  https://creepypasta.fandom.com/wiki/Blind_Maiden_Website
- **Encyclopedia of the Impossible: The Blind Maiden**
  https://theghostinmymachine.com/2015/05/11/encyclopaedia-of-the-impossible-the-blind-maiden-website/
- **The Blind maiden**
  https://www.slated.com/films/991429
- **Do You Remember Candle Cove?**
  https://www.atlasobscura.com/articles/do-you-remember-candle-cove
- **Candle Cove**
  https://knowyourmeme.com/memes/candle-cove
- **Channel Zero: Candle Cove adapts an internet legend about terrifying TV. Fittingly, it's terrifying TV.**
  https://www.vox.com/culture/2016/10/12/13243876/channel-zero-candle-cove-review-creepy
- **The Urban Legend of the Government's Mind-Controlling Arcade Game**
  https://www.atlasobscura.com/articles/the-urban-legend-of-the-governments-mindcontrolling-arcade-game
- **Polybius: The story behind the world's most mysterious arcade cabinet**
  https://www.eurogamer.net/polybius-the-story-behind-the-worlds-most-mysterious-arcade-cabinet
- **The Haunting Of 'Polybius,' An '80s Arcade Urban Legend**
  https://www.ranker.com/list/polybius-game-urban-legend-facts/louis-patterson

【CH2】
- **Clown Statue/Urban legends Wiki/Fandom**
  https://urbanlegend.fandom.com/wiki/Clown_Statue
- **The Babysitter and the Clown Statue**
  https://urbanlegendsonline.com/clown-statue/#google_vignette
- **Urban Legend : The Clown Statue Story**
  https://www.unsettlingthings.com/urban-legend-the-clown-statue-story/
- **The Microwaved Baby**
  https://www.snopes.com/fact-check/wasted-and-basted/
- **The Real Reason 'Urban Legend' Still Matters**
  https://www.hollywoodintoto.com/urban-legend-review-1998/
- **The Truth Behind The Babysitter Urban Legend**
  https://medium.com/obscure-horror/the-truth-behind-the-babysitter-urban-legend-2296590681fd
- **THE URBAN LEGENDS THAT INSPIRED SCARY STORIES TO TELL IN THE DARK**
  https://nerdist.com/article/the-urban-legends-that-inspired-scary-stories-to-tell-in-the-dark/
- **The Most Popular Urban Legend In Every State**
  https://www.explore.com/1097513/the-creepiest-urban-legends-of-all-time/
- **The Babysitter- A scary Urban Legend**
  https://www.reddit.com/r/MecThology/comments/15t73gc/the_babysitter_a_scary_urban_legend/
- **Baby Sitter and the Man Upstairs**
  https://worldhistorycommons.org/baby-sitter-and-man-upstairs

宇佐和通（ウサ ワツウ）

1962年、東京生まれ。東京国際大学卒業後、南オレゴン大学にてビジネスコース修了。商社、通信社勤務を経て、翻訳家・ノンフィクション作家に転身。著書に『あなたの隣の怖い噂』(学研)、『THE都市伝説』(新紀元社)、『都市伝説の真実』、『都市伝説の正体』(ともに祥伝社)、翻訳書に『エンジェル・アストロロジー』（JMAアソシエイツ)、『ロスト・シンボルの秘密がわかる33の鍵』（ソフトバンククリエイティブ)、『死刑囚　最後の晩餐』（筑摩書房)、『デムーリン・ブラザーズの華麗なる秘密結社グッズカタログ』（ヒカルランド)、『陰謀論時代の闇』（笠間書院）などがある。

AI時代の都市伝説

世界をザワつかせる最新ネットロア50

2024年6月5日　初版第1刷発行

著者　宇佐和通

発行者　池田圭子

発行所　笠間書院

〒101-0064　東京都千代田区神田猿楽町2-2-3

電話：03-3295-1331　FAX：03-3294-0996

ISBN 978-4-305-71014-7

装幀・デザイン　井上篤（100mm design）

カバー写真提供　Shutterstock

本文組版　キャップス

印刷／製本　倉敷印刷